给孩子的自然图鉴

动物图鉴

[韩] 沈兆媛 著　[韩] 金是荣 等 绘　张遥慈 许英俊 译

中信出版集团 | 北京

图书在版编目（CIP）数据

给孩子的自然图鉴 . 动物图鉴 /（韩）沈兆媛著；
（韩）金是荣等绘；张遥慈，许英俊译 . -- 北京 : 中信出
版社，2017.10〔2023.10 重印〕
　　ISBN 978-7-5086-7055-3

　　I. ① 给… 　 II. ① 沈… 　② 金… 　③ 张… 　④ 许… 　 Ⅲ . ①
自然科学 – 少儿读物② 动物 – 少儿读物 　 Ⅳ . ① N49 ② Q95-49

　　中国版本图书馆 CIP 数据核字〔2017〕第 016176 号

给孩子的自然图鉴 . 动物图鉴

著　　者：[韩] 沈兆媛
绘　　者：[韩] 金是荣 等
译　　者：张遥慈　许英俊
出版发行：中信出版集团股份有限公司
　　　　　（北京市朝阳区东三环北路 27 号嘉铭中心　邮编　100020）
承 印 者：北京利丰雅高长城印刷有限公司

开　　本：889mm×1194mm　1/16　　印　　张：14.75　　字　　数：116 千字
版　　次：2017 年 10 月第 1 版　　　　印　　次：2023 年 10 月第 20 次印刷
京权图字：01-2012-7971　　　　　　　广告经营许可证：京朝工商广字第 8087 号
书　　号：ISBN 978-7-5086-7055-3
定　　价：108.00 元

策划编辑：王菲菲　李欢欢　　　责任编辑：李香丽　平玉梅　　营销编辑：单云龙　谢　沐
装帧设计：哈 _ 哈　　　　　　　责任印制：刘新蓉

给孩子的自然图鉴

动物图鉴

文

沈兆嫒　儿童图书作者、编辑。代表作品有《植物图鉴》《动物图鉴》《昆虫图鉴》《树木图鉴》及"小小博物学家"系列科普书籍。

图

本书中的细密画取自"小小博物学家"系列前4辑，已获绘者授权。

金是荣　跑遍了京畿道、全罗北道和江原道，描绘养在农场里的动物。
金在焕　在山间、田野和海边观察鸟类并进行描绘。
金俊英　在仁川滩涂、边山半岛、顺天湾观察海滨生物并进行描绘。
朴昭贞　在首尔的水族馆和江原道海边的鱼市观察海洋生物并进行描绘。
李愚晚　在韩国的首尔大公园等公园和野外观察哺乳动物并进行描绘。
李在恩　在江原道洪川和华川溪边生活，采集并观察昆虫、淡水鱼、两栖类和爬行类动物，并进行描绘。

审校

金雄西　韩国海洋研究院高级研究员。
金泰宇　韩国国立生物资源馆研究员。
金玄泰　韩国两栖爬行类保护组织监管委员长。
裴振善　韩国首尔大公园动物策划队队长。
孙相互　科普作者，著有《汉江里生活着什么》《口袋里的两栖及爬行类动物图鉴》。
李英宝　韩国农村发展局研究员。
李长浩　韩国国立环境科学院研究员。
韩相勋　韩国国立生物资源馆动物资源科科长。

中文审校

计　云　博物学者、昆虫分类学者、科普作者。著有《北京自然观察手册》等。

译者

张遥慈　童书译者。韩国首尔国立大学国语国文系硕士。曾参与过《海底两万里》《孩子与水精灵》《巨人和蚊子》《地底国》等童书的翻译。
许英俊　生物学硕士，从事生物科学科研工作十余年。业余爱好写作和翻译，翻译出版多本科普读物。

凡例

1. 本书中收录了以常见动物为主的456种动物，包括无脊椎动物、哺乳动物，等等。

2. 动物分类主要依据《动物百科全书》（加利福尼亚大学出版社，2004）。

3. 哺乳类、鸟类、爬行类、两栖类和鱼类等脊椎动物按照"纲–目–科"的等级分类。无脊椎动物中，节肢动物按照"门–纲–目"分类，其他无脊椎动物按照"门–纲–科"来分类。

4. 本书中"世界自然保护联盟"简称为"IUCN"。《濒危野生动植物种国际贸易公约》简称为"CITES"，是关于濒临灭绝的野生动植物的国际交易公约。

5. 中文名称参考《世界哺乳动物名典》《中国鸟类野外手册》《中国兽类野外手册》《中国动物志》各卷册和《中国海洋生物图集》各卷册。

6. 关于英文名称：哺乳类、鸟类、爬行类、两栖类和节肢动物的英文名称主要参考了维基百科（英文版）和"世界自然保护联盟"的命名。鱼类和海洋中的无脊椎动物的英文名称主要参考了"世界鱼类数据库"和"海洋生物数据库"以及韩国NAVER百科。节肢动物中，较难找到对应的英文名称时，采用"某某属的一种动物"或"某某科的一种动物"（a kind of）来表示。

体例

分类

根据动物的外形、身体结构、繁殖方式等进行分类。最基本的单位是"种"，依照"种＜属＜科＜目＜纲＜门＜界"的次序，包含的范围越来越大。比如，人是"动物界中脊椎动物门下哺乳纲灵长目人科人属下面的人"。

哺乳纲　　　灵长目　　　卷尾猴科

松鼠猴　一种生活在树上的猴子，成群地生活在南美洲的亚马孙河流域附近。脸和耳朵是白色的，嘴周围和尾巴末端为黑色，手和脚呈橘色。它们有把自己的小便抹在身上的习惯。擅长用各种不同的叫声来传递信息。成年松鼠猴看到没有妈妈的小猴子时，也会抱着它，加以照顾。

🐂 23~37 厘米　🐐 37~46 厘米　kg 0.5~1 千克

细密画画家观察活着的动物并绘制的图画。由专家审校，突出动物特征。

松鼠猴
Common Squirrel Monkey

章节

哺乳类

Mammals

日本猴 Japanese Macaque

即使在寒冷的冬天，日本猴也很活跃，还会像人一样泡温泉进行休息。

页码

20

猴科

日本猴　生活在日本的猴子，脸和屁股都是红色的。猴子一般生活在温暖的地方，而日本猴可以生活在下雪的地方。是群居动物，以公猴为首领，数十只聚集在一起生活。性格很温顺，不会和同伴打架，母猴还会帮助照顾别的幼猴。日本猴很聪明，懂得把地瓜洗了再吃。

🐂 50~90 厘米　🐐 7~12 厘米　kg 8~20 千克

中文名称和英文名称

身长和体重

猩猩科

苏门答腊猩猩
只生活在文莱和苏门答腊热带雨林中的类人猿。除了面部、手掌和脚掌以外，全身呈红褐色。雄猩猩到了10岁左右脸就会变大，脖子上的皮肤也会变皱。喜欢在很高的树上摘热带水果吃，不轻易到地上活动。

🐾 110~140厘米　kg 雄性50~90千克，雌性30~50千克

苏门答腊猩猩
Sumatran Orangutan
濒临灭绝

黑猩猩
Common Chimpanzee
濒临灭绝

西部低地大猩猩
Western Lowland Gorilla
濒临灭绝

西部低地大猩猩
生活在非洲热带雨林中的类人猿，是类人猿中体形和力气最大的猩猩。雄猩猩的头顶隆起一块，鼻孔特别大。以树叶、果实和植物根部为食。平时性格温顺，但是发起火来，就会用双手敲打自己的胸部，并露出牙齿向对方示威。群体的首领通常由背部有灰白色毛块的成年雄性担任。

🐾 雄性160~170厘米，雌性120~140厘米　kg 雄性140千克，雌性60~80千克

黑猩猩
生活在非洲中西部的热带雨林中，是与人类最相似的类人猿，有98%的基因与人类是一样的。跟人一样，手上长有指纹，开心的时候会笑，会使用工具，通过学习还可以认字，在打猎或战斗之前会制订作战计划。

🐾 70~120厘米　kg 30~70千克

人的手　黑猩猩的手

哺乳类

21

Mammals

目录

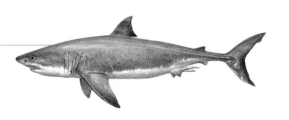

动物的世界

动物经常跑来跑去处于运动状态，而几乎所有的植物都是原地不动地度过一生。植物体内有叶绿素，能够通过光合作用给自己提供养分，而动物却需要吃其他的动物或植物才能维持生命。像藤壶和海葵这样一辈子都只生活在一个地方的动物，还会辛勤地摆动着自己的触手，在大海里面捕食吃。大部分动物都会进行交配，并生下下一代。动物分为脊椎动物和无脊椎动物。

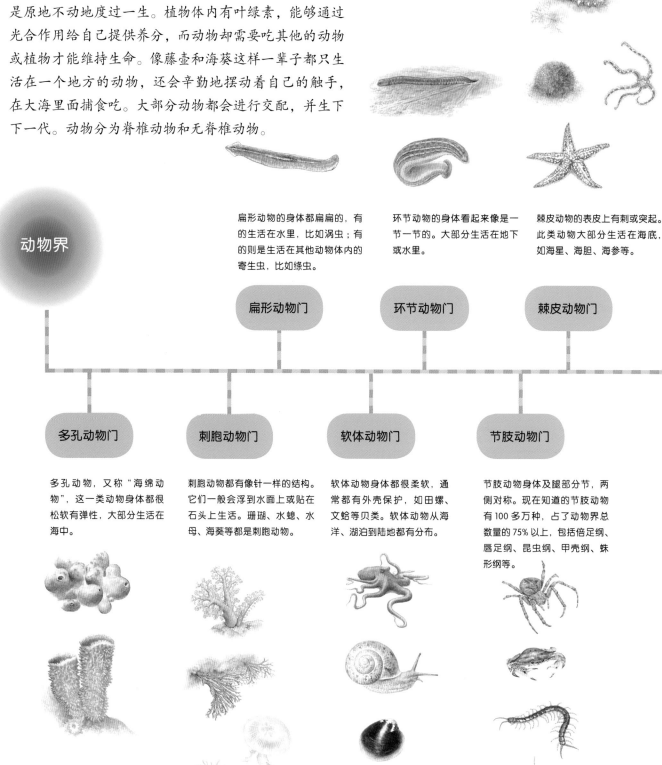

动物界

扁形动物的身体都扁扁的，有的生活在水里，比如涡虫；有的则是生活在其他动物体内的寄生虫，比如绦虫。

扁形动物门

环节动物的身体看起来像是一节一节的。大部分生活在地下或水里。

环节动物门

棘皮动物的表皮上有刺或突起。此类动物大部分生活在海底，如海星、海胆、海参等。

棘皮动物门

多孔动物门

多孔动物，又称"海绵动物"，这一类动物身体都很松软有弹性，大部分生活在海中。

刺胞动物门

刺胞动物都有像针一样的结构。它们一般会浮到水面上或贴在石头上生活。珊瑚、水螅、水母、海葵等都是刺胞动物。

软体动物门

软体动物身体都很柔软，通常都有外壳保护，如田螺、文蛤等贝类。软体动物从海洋、湖泊到陆地都有分布。

节肢动物门

节肢动物身体及腿部分节，两侧对称。现在知道的节肢动物有 100 多万种，占了动物界总数量的 75% 以上，包括倍足纲、唇足纲、昆虫纲、甲壳纲、蛛形纲等。

鱼纲

指的是鱼类。可以分为圆口类、软骨鱼类和硬骨鱼类三种。圆口类指的是没有上下颌的鱼形脊椎动物。软骨鱼类的骨头是软骨，虽然骨头很软但是外皮很坚韧，没有鱼鳔。硬骨鱼类指的是骨头很硬的鱼，分布范围极广，生活在大海和淡水里的大部分鱼都是硬骨鱼类。

两栖纲

可以在水中和陆地上两处生存的动物。如青蛙，还是蝌蚪的时候就生活在水里，变成青蛙以后主要就在陆地上生活了。在水中用鳃呼吸，在陆地上主要用肺呼吸。在水中产卵。

脊椎动物指的是有脊椎骨的动物。大部分脊椎动物有支撑身体的脊椎和骨头，还有保护大脑的头骨，包括哺乳纲、鸟纲、爬行纲、两栖纲、鱼纲。

爬行纲

在地上爬行，用肺呼吸，和鱼类、两栖类一样，是冷血变温动物。皮肤外覆盖着结实的鳞片或甲。产下幼崽或产卵，卵一般都很软。

脊索动物门   脊椎动物门

脊索是身体背部起支持作用的棒状结构，没有脊椎那么坚实。只有幼年时期有，长大以后消失。

鸟纲

指鸟类。有一对翅膀和爪子。翅膀是由前肢演化而来的，全身覆盖着羽毛，用肺呼吸，是恒温动物。

哺乳纲

用乳汁养大幼崽的一类动物，是恒温动物。大部分哺乳动物被毛，有四条腿。

无脊椎动物
无脊椎动物指的是没有脊椎的动物。在地球上的动物里，除了脊椎动物就是无脊椎动物了。从数量上看，它比脊椎动物多20倍。无脊椎动物包括多孔动物、刺胞动物、扁形动物、软体动物、环节动物、节肢动物、棘皮动物、脊索动物。其中，以包括了昆虫的节肢动物数量最多。

哺乳类

吃奶长大的动物

哺乳就是喂奶的意思。因为大部分哺乳动物出生以后，靠吃妈妈的奶水长大。哺乳动物的幼崽各不相同，比如刚出生的小老鼠还睁不开眼睛，光秃秃的没有毛；而小牛犊刚出生就能奔跑。但无论是小老鼠还是小牛犊，它们都靠吃妈妈的奶水长大。哺乳动物能够通过新陈代谢产生稳定的体温，大部分都有毛发，因为毛发有助于它们维持恒温。无论是寒冷的冬天还是炎热的夏天，人的体温总是恒定在 36.5℃左右。全世界大约有 5700 种哺乳动物，其中大多是在妈妈肚子里发育成熟以后才出生。人是地球上数量第二多的哺乳动物，多达 70 亿。而哺乳动物中数量排名第一的是鼠类。

哺乳动物的身体

牙齿　与其他动物不同，大部分哺乳动物都有牙齿，因此可以咀嚼食物。肉食动物的犬齿尖锐锋利，可以咬死猎物。草食动物的臼齿宽而坚硬，可以嚼碎坚韧的植物。什么都吃的杂食动物则是切齿、犬齿和臼齿都很发达。哺乳动物种类不同，牙齿的形状和数量也各不相同。因此，牙齿也是哺乳动物分类的一个标准。研究化石的时候，只看头骨便可以知道这是什么动物。

毛　哺乳动物一般体表都被毛。毛的作用之一是防止体内的热量过度散失。夏天，毛变得短而稀疏；冬天，毛就会长得又长又密。极少数哺乳动物会像犰狳一样，不长毛，而是在背部长出骨质甲。刺猬则是在背部长满尖刺，用以武装自己。无论是骨质甲还是刺，都可以保护自己的身体不受敌人攻击。哺乳动物的毛、骨质甲和刺都是从皮肤组织演化而来的。

适应环境　哺乳动物的生存范围很广。从亚马孙雨林到沙漠乃至北极，无论环境多么恶劣，是寒冷、干旱，还是食物不充足，都有它们的踪迹。每一种哺乳动物都在寻找最适合自己的生存方式，让自己适应环境，生存下去。不仅陆地上的哺乳动物如此，在海里游的以及空中飞的哺乳动物的身体也都发生了演化。例如在海里生活的鲸鱼把自己的腿变成了鳍的模样，而蝙蝠演化出了如鸟类翅膀一样的前肢，在天空中翱翔。

雄性和雌性　哺乳动物中，大部分雄性的体形比雌性的大。甚至有些哺乳动物，雄性与雌性外形也不完全相同。如，雄狮有鬃毛，而雌狮没有。

雄性獐　　　　　雄性狍子

正在消失的哺乳动物

对于哺乳动物来说，人类是最大的威胁。数万年来，人类一直在猎杀动物，剥夺它们的生存空间，开发成农田。现在，世界上许多国家都在法律上严禁猎杀野生动物，但死于偷猎者枪下或者陷阱中的野生动物仍然很多。适合野生动物生存的环境正在急剧减少，亚马孙雨林的面积已经消失了大约15%。动物迁徙的路径也因横穿森林的马路而变得危机四伏。幸运的是，为了防止野生动物继续减少，越来越多的人加入到保护它们的行列中来。许多人都意识到了，没有野生动物的地球，人类也无法幸福地生活。

哺乳动物生存概况

中国哺乳动物有600多种。绝大多数为陆生哺乳动物。其中包括大熊猫、金丝猴、岩松鼠等在内的众多特有物种以及以中国为分布中心的羚牛、白唇鹿等特色物种。多数大型哺乳动物的生存环境受到挤压，栖息地破碎化，很多物种正在消亡。但通过保育工作，也有一些代表性物种得到了良好的保护。

研究野生动物

野生哺乳动物很难从近处进行观察。它们通常在晚上外出活动，而且动作敏捷，难以被人发现。因此，想要研究野生动物是如何生存的，就要先追寻它们留下的痕迹，比如它们的粪便、脚印、掉落的毛发和吃剩的食物。光是看它们的粪便，研究人员就可以知道那是什么动物，是什么时候经过那儿的，近期都吃了什么。沿着它们留下的痕迹，有时候可以找到自然死亡的动物尸体。这些动物尸体能够让我们仔细观察它们的身体结构，是很好的研究材料。为了进一步研究这些动物，研究人员有时候会对动物尸体进行解剖，或者把它们做成骨骼标本。

野生动物的脚印

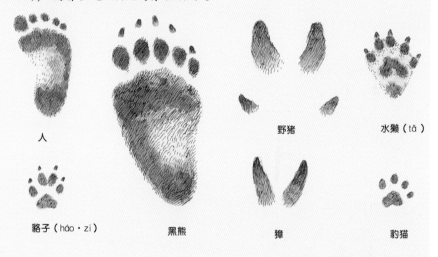

人　　　　　野猪　　　水獭（tǎ）

貉子（háo·zi）　　　黑熊　　　獐　　　豹猫

哺乳动物的粪便

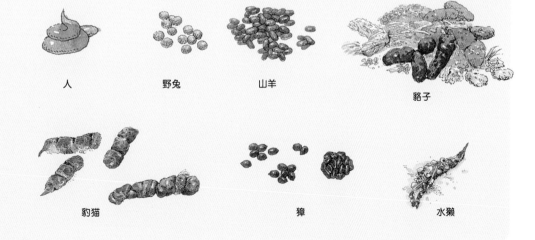

人　　野兔　　山羊

貉子

豹猫　　　　獐　　　水獭

红袋鼠　体形最大的袋鼠，生活在澳大利亚贫瘠的草原上，是草食性动物。红袋鼠的后腿粗壮，能像弹簧一样使整个身体往前跃进。雄性袋鼠的毛发是红色的，而雌性的则是灰色的。雌性袋鼠身上长有育儿袋，小袋鼠会在妈妈的育儿袋中吃 6~8 个月的母乳。

🐃 雄性 130~160 厘米，雌性 85~105 厘米　🐃 90~100 厘米　kg 90 千克

小袋鼠一出生就会进到育儿袋里，在里面待 6~8 个月。

大食蚁兽 Giant Anteater

♂

红袋鼠 Red Kangaroo

贫齿目　　　食蚁兽科

大食蚁兽　主要生活在美洲中南部的草原上、热带森林中和沼泽附近。以蚂蚁、白蚁和昆虫幼虫为食，舌头长达 60 厘米，沾满了唾液，可以很容易就捕到蚂蚁及其幼虫。大食蚁兽没有牙齿。它们平时很温顺，生气的时候会用尾巴和后肢支撑身体，用锋利的前爪攻击对手。

🐃 100~120 厘米　🐃 60~90 厘米　kg 20~40 千克

树懒科

二趾树懒 生活在南美洲热带森林的草食性动物，前肢有两个脚趾，后肢有三个脚趾。白天倒挂在树上，到了晚上，就慢悠悠地摘树叶吃，只有在排便的时候才会爬下树。它们不太擅长爬行，但擅长游泳。

🐐 60~70厘米 kg 4~8千克

二趾树懒
Southern Two-toed Sloth

六带犰狳
Six-banded Armadillo

拉河三带犰狳
Southern Three-banded
Armadillo

犰狳(qiúyú)科

六带犰狳 杂食动物，从南美洲贫瘠的草原到热带雨林都是它们的活动范围。背上通常覆盖着6~8块腰带状的骨板，看上去就像披着一副坚硬的盔甲。在遇到危险的时候，六带犰狳就会挖个洞藏进去。它们还非常擅长游泳。白天会出去找水果和昆虫吃，有的时候还会偷玉米吃。

🐐 40~50厘米 🐐 10~24厘米 kg 3~6千克

三带犰狳可以把身体蜷缩成一个圆球。六带犰狳则不可以。

拉河三带犰狳 生活在南美洲草原上的杂食动物。身体有三条可移动的横带，可以蜷缩成球形来保护自己。爪子很锋利，便于刨土。夜间外出捕食蜗牛和昆虫。刚出生的幼崽背部十分柔软，当背部骨板变坚硬后它们就会离开妈妈的怀抱。 🐐 21~27厘米 🐐 6~8厘米 kg 1千克

东北刺猬　生活在平原或山上的小型哺乳动物。全身长有5000多根像针一样的刺，每根刺长约两厘米。察觉到有危险的时候就会将身体蜷缩成一团，一动不动，或者滚着逃走。太阳下山以后外出捕食昆虫或者小型节肢动物。冬天会冬眠。夏天产崽，每胎大约五六只。

🐾 10~25厘米　　kg 360~630克

东北刺猬在遇到危险的时候就会蜷缩成一团，一动不动。

东北刺猬 Amur Hedgehog

大缺齿鼹 Large Mole

食虫目　　　鼹（yǎn）科　　　**大缺齿鼹**　生活在地底的小型哺乳动物。嘴又长又尖，没有耳廓，眼睛太小不容易被观察到。前肢很大，爪子很锋利。毛像天鹅绒一样柔软。栖息在平原、山上或者农田中。会在地底挖掘地道，捕食蚯蚓和昆虫，却无法长时间待在太阳下。因为擅长掘地，又被叫作"地爬子"。

🐾 13~19厘米　　🐾 1~3厘米　　kg 50~180克

蝙蝠像翅膀一样的翼手是由前肢演化而来的。

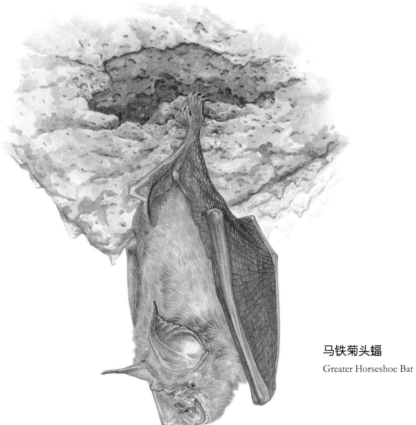

马铁菊头蝠
Greater Horseshoe Bat

翼手目　　菊头蝠科　　**马铁菊头蝠** 像鸟一样会飞的哺乳动物，广泛分布于中国东部和西南部。它鼻梁上的皮肤皱皱的，因为鼻子长得像马蹄铁，所以被叫作"马铁菊头蝠"。白天贴在洞穴顶端休息，太阳落山以后才会出来捕食小型昆虫。不会轻易到地上落脚。它的耳廓很大，像雷达一样工作。冬天会在洞穴里面冬眠。

 50~65厘米　🄺 13~27克

松鼠猴　一种生活在树上的猴子，成群地生活在南美洲的亚马孙河流域附近。脸和耳朵是白色的，嘴周围和尾巴末端为黑色，手和脚呈橘色。它们有把自己的小便抹在身上的习惯。擅长用各种不同的叫声来传递信息。成年松鼠猴看到没有妈妈的小猴子时，也会抱着它，加以照顾。

🐐 23~37 厘米　　🐐 37~46 厘米　　kg 0.5~1 千克

松鼠猴
Common Squirrel Monkey

日本猴 Japanese Macaque

即使在寒冷的冬天，日本猴也很活跃，还会像人一样泡温泉进行休息。

猴科

日本猴　生活在日本的猴子，脸和屁股都是红色的。猴子一般生活在温暖的地方，而日本猴可以生活在下雪的地方。是群居动物，以公猴为首领，数十只聚集在一起生活。性格很温顺，不会和同伴打架，母猴还会帮助照顾别的幼猴。日本猴很聪明，懂得把地瓜洗了再吃。

🐐 50~90 厘米　　🐐 7~12 厘米　　kg 8~20 千克

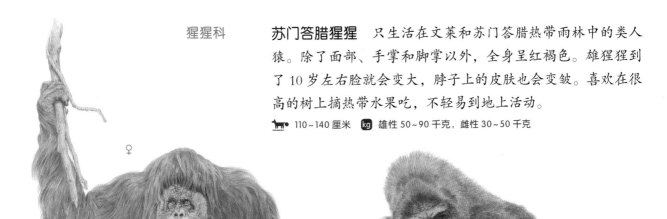

苏门答腊猩猩 只生活在文莱和苏门答腊热带雨林中的类人猿。除了面部、手掌和脚掌以外，全身呈红褐色。雄猩猩到了 10 岁左右脸就会变大，脖子上的皮肤也会变皱。喜欢在很高的树上摘热带水果吃，不轻易到地上活动。

🐂 110~140 厘米　🆔 雄性 50~90 千克，雌性 30~50 千克

苏门答腊猩猩
Sumatran Orangutan
濒临灭绝

黑猩猩
Common Chimpanzee
濒临灭绝

西部低地大猩猩
Western Lowland Gorilla
濒临灭绝

西部低地大猩猩 生活在非洲热带雨林中的类人猿，是类人猿中体形和力气最大的猩猩。雄猩猩的头顶隆起一块，鼻孔特别大。以树叶、果实和植物根部为食。平时性格温顺，但是发起火来，就会用双手敲打自己的胸部，并露出牙齿向对方示威。群体的首领通常由背部有灰白色毛块的成年雄性担任。

🐂 雄性 160~170 厘米，雌性 120~140 厘米　🆔 雄性 140 千克，雌性 60~80 千克

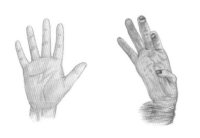

人的手　　　　黑猩猩的手

黑猩猩 生活在非洲中西部的热带雨林中，是与人类最相似的类人猿，有 98% 的基因与人类是一样的。跟人一样，手上长有指纹，开心的时候会笑，会使用工具，通过学习还可以认字，在打猎或战斗之前会制订作战计划。

🐂 70~120 厘米　🆔 30~70 千克

家猫　人类从一万年前开始驯养的肉食性动物。身上的斑纹和大小都互不相同。可以爬上很高的地方，即使摔下来也不会轻易受伤。和家猫不同，到处乱逛的野猫会掏垃圾吃，在空房子或者漆黑的角落生下小猫，在山里的野猫会像野生动物一样，捕食小动物。　🐂 30~60厘米　kg 2~6千克

在暗的地方，猫的瞳孔会变得圆圆的，而在亮的地方会变得狭长。

平时，猫会把自己的爪子藏起来，要捕食的时候则会伸出。

家猫 Cat

豹猫 Leopard Cat

豹猫　生活在山中或平原上，体形比家猫大。与家猫不同，豹猫的尾巴比较硬，像棍子一样。额头上长有两条明显的白色纹路。主要在夜间活动，捕食小型动物，有时候会抓鸡吃。

 45~65厘米　🐂 23~30厘米　kg 3~7千克

远东豹　仅分布于中国和俄罗斯的大型猫科动物。体形比老虎小，身上有梅花图案。白天在洞穴里休息，傍晚或者清晨会独自出来猎食。抓到猎物后，会把它拖到洞穴里藏好。像鹿这样比较大型的动物也是它的捕猎对象。毛是淡红色的，又因身体上的图案很像铜钱，因此也叫"金钱豹"。

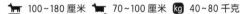 100~180 厘米　　 70~100 厘米　 **kg** 40~80 千克

远东豹 Leopard
濒临灭绝

猞猁
Eurasian Lynx

猞猁（shē lì）　在中国主要生活在东北、西北、青藏高原等地的深山或荒原中。体形很大，耳尖有黑色的毛竖起来，尾巴又短又粗。后肢很长，脚掌很大，所以在雪地里也能跑得很快。擅长爬树和游泳。在傍晚或者清晨的时候出来捕食小动物，尤其喜欢吃野兔。　 85~100 厘米　 20 厘米　 **kg** 18~45 千克

狮 生活在非洲和印度北部草原上。在猫科动物中体形仅次于老虎，排名第二。一两头雄狮和多头雌狮结成一群，一起生活。与雌狮相比，雄狮体形更大，脖子上有长毛。一般雄狮负责保护自己的族群，雌狮则负责出去猎食。捕猎时，许多头雌狮一起围住猎物，慢慢接近，然后在一瞬间一起扑上去。

🐐 140~250 厘米　　🐐 70~100 厘米　　kg 120~250 千克

狮与虎不同，是群居动物。

狮 Lion

虎 Tiger
濒临灭绝

虎 是现存猫科动物中体形最大的。以捕猎鹿和野猪这样体形较大的动物为食，会把自己捕获的猎物拖到安全的地方，直到吃完才会离开。进食完一定会饮水。擅长游泳。没有食物的时候，为了捕猎，一晚上可以跑上数十千米。吃饱了以后，好几天都不会外出捕猎。

🐐 140~280 厘米　　🐐 70~100 厘米　　kg 100~300 千克

非洲猎豹奔跑的速度很快，快速奔跑的时候脊椎骨会像弹簧一样伸缩。

非洲猎豹 生活在非洲草原上，身手敏捷。身上布满黑色的斑点，体态矫健苗条。是生活在陆地上的动物中奔跑速度最快的，100米只用3秒就可以跑完，这是因为它的脊椎骨可以像弹簧一样伸缩。捕猎的时候它会悄悄地走到猎物旁边，然后再像闪电一样扑上去。因为速度快，捕猎的成功率很高。但是也有很多时候，猎物会被狮子、金钱豹、鬣（liè）狗抢走。　110~140厘米　60~80厘米　kg 40~70千克

非洲猎豹 Cheetah
濒临灭绝

美洲狮 Puma

美洲狮 生活在美洲大陆上。雄狮与雌狮长得很像。喜欢在陡峭的山上奔跑，也很擅长爬树。不是群居动物，习惯独来独往。总是悄无声息地跟在猎物后面，然后突然发起攻击。有时候会在沼泽里抓海狸吃，有时候也会抓家畜吃。也叫作"山狮"。　100~200厘米　60~80厘米　kg 35~100千克

灰狼　体形比狗大，看起来很凶，行走的时候，尾巴会垂下来，落到脚后跟的位置。主要在夜间出来捕食，总是成群结队行动，一晚上可以跑上数十千米。可以捕捉到两千米以外的猎物的气味。力气很大，可以一口咬住猎物将其拖走。是家犬的祖先。　🐃 100~160 厘米　🐕 35~55 厘米　kg 30~80 千克

灰狼 Gray Wolf

赤狐 Red Fox

赤狐看到老鼠以后，会一跃而起，用前爪捕捉它。

赤狐　生活在靠近村子的山里，是野生动物。毛是红色的，柔顺蓬松，尾巴特别迷人。主要生活在石缝间或者地下洞穴里，也会抢獾（huān）的洞穴住。主要以老鼠为食，也吃昆虫或者果实，偶尔还会偷鸡吃。可以爬上比较矮的树。
🐃 60~70 厘米　🐕 40~47 厘米　kg 5~10 千克

狗 杂食动物，世界各地都能看到它们的身影。大约有200个品种。人类从一万年前开始养狗，最初人类养狗是为了拉雪橇或者是帮人类打猎，保护羊群。现在还有给盲人引路的导盲犬、靠嗅觉发现危险的警犬。狗非常聪明，如果从小就训练的话，可以听得懂人话。因为十分可爱，有许多人把它们养在家里当宠物。

狗 Dog

貉子 Raccoon Dog

貉子 生活在平原和山上。眼睛黑黑的，耳朵圆乎乎的，看上去有点像狐狸。会捕猎，吃植物的果实，也会翻垃圾桶找吃的。只走自己走过的路，排便也在同一个地方。冬天会在洞穴里面冬眠，肚子饿了就出来找吃的，找不到的话也会在雪地里晃悠。 🐕 52~68厘米 🐕 15~25厘米 **kg** 6~10千克

在北极，狗拉雪橇，也负责在雪地里寻找迷路的人。

伶鼬　生活在山脚下的草地或石头堆里，体形跟松鼠差不多。跟黄鼬不同，伶鼬肚子前面的毛是白色的，尾巴短短的。常钻到老鼠洞里抓老鼠吃，虽然体形很小，但是一年可以吃掉3000多只老鼠。冬天全身的毛都会变得像雪一样白，因此也被叫作"银鼠"。　🐂 15~18厘米　🐄 3厘米　kg 50~100克

伶鼬 Least Weasel

黄鼬 Siberian Weasel

黄鼬有时会偷鸟蛋吃。

黄鼬　生活在农田里。身体细长细长的，腿很短。毛是黄色的，嘴周是白白的。很敏捷地穿梭在草丛和石缝间，擅长爬树和游泳。以田鼠为食，也吃蛇或鱼，有时会偷鸟蛋吃，偶尔还会偷鸡吃。感觉到危险的时候，就会放出奇臭无比的屁。

🐂 25~35厘米　🐄 12~21厘米　kg 250克~1000克

黄喉貂 生活在森林中或丘陵地带，也叫"黄腰狸"。全身黄色，只有头、四肢和尾巴是黑色的。毛很柔顺且有光泽。可以在树与树之间跳来跳去，在地上活动时速度也很快。两三只黄喉貂结伴，可以捕食比自己体形还大的动物。非常喜欢吃猕猴桃和葡萄。还喜欢吃蜂蜜，所以人们也叫它"蜜狗"。

🐐 60~68 厘米　🐐 40~45 厘米　kg 3~5 千克

黄喉貂 Yellow-throated Marten

狗獾 European Badger

狗獾宝宝出生以后要 10 天才能睁开眼睛，哺乳期为两个月左右。

狗獾 生活在山中或森林中。爪很锋利，前足的爪比后足的爪长。很擅长挖洞。狗獾的洞穴很深很干净，它会另外刨一个洞排便。以蚯蚓和地里的虫子为食，也吃水果和玉米。冬天喜欢待在洞穴里面。　🐐 56~90 厘米　🐐 11~20 厘米　kg 10~16 千克

大尾臭鼬会排出带有剧烈臭味的液体，溅到眼睛上会造成暂时失明。

大尾臭鼬　生活在北美南部和中美洲的荒漠地带。从背到尾部覆着白色的毛，其余部分是黑色的。爪子很长，在感觉到危险的时候会抬起尾巴，排出带有剧烈臭味的黄色液体。只要被这个液体溅到，就算是熊也会动弹不得，而且眼睛还会暂时失明。夜间出来活动，捕食昆虫和小动物。擅长挖洞、爬树，有时候也会到村庄附近活动。　🐾 28~40 厘米　🐾 17~38 厘米　kg 1.5~3 千克

大尾臭鼬
Hooded Skunk

欧亚水獭 Eurasian Otter
濒临灭绝

欧亚水獭　生活在清澈的小溪或河流中。身体长长的，是游泳高手。晚上出来捕鱼吃，白天则在溪边的树根附近或者洞穴里睡觉。一天可以捕食 1 千克左右的鱼。冬天穿梭在冰窟窿之间捕鱼。　🐾 60~110 厘米　🐾 30~50 厘米　kg 5~10 千克

獴科

狐獴不仅能捕食毒蝎，而且自身具有对毒液的抵抗力。

狐獴（měng） 生活在非洲沙漠里。大约 20～30 只群居在一起，在开阔的地方挖洞。白天出来捕食，在捕食的时候会有成员专门负责望风，望风时狐獴会抬起前肢静静地站着，观察四周的动静，这样在老鹰或豺等天敌出现时，就可以立刻召唤同伴躲进洞穴里。它们对很多毒液具有抵抗力，所以还能捕食毒蛇和蝎子。　🐄 25～30 厘米　🐄 17～24 厘米　kg 700～800 克

斑鬣狗 Spotted Hyena

狐獴 Meerkat

鬣狗科

斑鬣狗 生活在非洲贫瘠的草原或沙漠边缘。也叫作"斑点鬣狗"。白天寻找动物的尸体吃，到了晚上，就由雌性首领带领出去捕食。虽然跑得不是很快，但是会一直跟在猎物的后面追，直到猎物疲惫，有时还会抢狮子或非洲猎豹捕来的食物。会把猎物的骨头、毛、角、蹄子也都吃得干干净净。雌性斑鬣狗比雄性的体形大。

🐄 95～160 厘米　🐄 25～36 厘米　kg 60～80 千克

黑熊　在中国主要生活在东北、西南等地区的山林里。胸前有一块月牙形白斑，也叫"月牙熊"。会爬到橡树上摘果子吃，也会偷蜂蜜吃，还会捕食小型动物，感觉到危险的时候连人都会攻击。到了冬天就什么都不吃，也不排便，只在洞穴里睡觉。　🐾 130~180 厘米　🐾 4~10 厘米　kg 80~200 千克

黑熊的爪子很长很锋利，所以擅长爬树。

棕熊
Ussuri Brown Bear

黑熊 Asian Black Bear

棕熊　在中国主要生活在东北、新疆、青藏高原一带。毛色泛红，比黑熊体形更大，更凶狠，连老虎都不敢轻易招惹它。虽然是杂食动物，但更喜欢吃肉，也能够捕食像鹿那么大的动物。幼时爬树很厉害，但是长大以后因为身体太重了，反而爬不上去了。幼崽也像黑熊一样胸前有月牙形白斑。

🐾 190~280 厘米　🐾 7~8 厘米　kg 150~450 千克

北极熊 生活在北极的熊，又叫"白熊"。全身覆盖着雪白的毛，但皮肤是黑色的，从它们的眼睛、鼻子、嘴唇和脚趾可以看出。是熊类中体形最大的，可以在低于零下40℃的海边冰层里捕食海豹。每天可以走20千米以上来寻找食物。为了捕食还可以连续10天游上700千米。但是随着北极冰层的融化，它们能够生存的地方越来越少了。

🐃 200~300厘米　🐗 7~13厘米　kg 雄性300~800千克，雌性150~300千克

北极熊 Polar Bear

亚洲象　生活在印度和东南亚的热带雨林中，也叫"印度象"。体形和耳朵都比非洲象小。通常数十只聚在一起生活，年龄最大的母象是首领，公象长大以后就会离开群体独自生活。会吃很多草，但是无法全部都消化，因此它们的粪便可以用来造纸。鼻子长达两米。　🐘 550~640厘米　㎏ 2~5吨

亚洲象
Asian Elephant
濒临灭绝

非洲象的耳朵很大，象牙很长，最长的象牙可以达到3米。公象母象都有象牙。鼻子的顶端有两个突起。

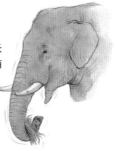

亚洲象的耳朵小，象牙短。母象的象牙都退化了。鼻子的顶端只有一个突起。

鳍足目　海狮科　**南美毛皮海狮**　生活在南美附近的海域。全身都被毛严密地盖住了，四肢长得像鱼鳍一样。夏天，它们会成群结队游到海边，上岸产崽养育。一只雄海狮与数十只雌海狮交配。鱼鳍样的短腿用来行走很困难，但是用于游泳却事半功倍。

🐂 140~200 厘米　㎏ 60~200 千克

南美毛皮海狮
South American Fur Seal

白犀 White Rhinoceros

奇蹄目　犀科　**白犀**　生活在非洲，是犀牛中现存数量最多的。鼻子上有两只角。嘴又宽又平，所以即使是很矮的草，它们也可以吃到。它们一天有 10 个小时都在吃草。只在一个固定的地方排便，要排便的时候会把之前排泻的粪便用后蹄踢开再进行。生气的时候，会先往后退，上下摇晃脑袋，然后竖起角凶狠地向前冲去。　🐂 220~400 厘米　㎏ 1.8~2.7 吨

矮马　因为身高很矮，可以从果树下通过，所以也叫"果下马"。虽然比马矮，腿也比较短，但是在贫瘠的环境中也能发育得很好，生命力很顽强。性情温顺，容易驯服。

🐴 120厘米　　kg 200~250千克

矮马 Pony

马 Horse

马　从新石器时代开始，人类就开始驯养马。与牛不同，它们只有一个脚趾，也不会反刍。马十分擅长奔跑，很久以前，就为人们驮行李，供人骑乘，出征打仗。

🐴 200厘米　　kg 350~700千克

格兰特斑马用鼻子嗅味道，长颈鹿利用身高优势望风，它们相互帮助，和谐共生。

格兰特斑马 生活在非洲大草原上，是最常见的一种斑马，全身都有黑色条纹。一只雄性和好多只雌性组成一个家，与长颈鹿和羚羊一起过群居生活。在不下雨的旱季，数千只格兰特斑马会聚到一起，一起寻找草和水源。它们会用后蹄刨出浅井来饮水。🐂 190~230 厘米 kg 250~400 千克

格兰特斑马 Grant's Zebra

驴 Donkey

驴 人类从 6000 年前就开始圈养驴。现在，在偏远山村人们还在养驴。即使在很崎岖的路上，它们也可以驮很重的行李攀爬到 3000 米高的山上。性情温顺，有耐心，不怕冷，耐得住渴。还有一种生活在野外的野驴。

🐂 80~160 厘米 kg 80~480 千克

野猪　生活在山上或森林中，很常见，偶尔也会来到村舍旁。在中国主要分布在华北大部分地区。虽然看起来有点笨拙，但其实很敏捷，生气时样子很可怕。雄性野猪的尖齿锋利，露在外面。从橡果到动物尸体，没有野猪不吃的。有时候还会去农田搞破坏。　🐗 100~180 厘米　kg 120~250 千克

野猪 Wild Boar

野猪幼崽的背上有黑色条纹。

猪 Pig

野猪的脑袋大，身体小。

猪的脑袋小，身体大。

猪　世界各地的人们都会饲养的家畜之一。它们的祖先是野猪，被驯化后，体形也变得更大了。跟野猪一样，喜欢在泥地里打滚，常用鼻子拱地。以前，农村每家每户都会养上一两头，现在，猪圈里一养就是上百头。

🐖 87~180 厘米　kg 200~250 千克

骆驼科

野骆驼　生活在戈壁沙漠周围。有两个驼峰，也叫"双峰骆驼"。人类在大约1000年以前开始驯养。可以背负很重的行李穿越沙漠。驼峰里能储藏许多能量和营养，这让它们可以长时间不需要进食。为了保持体内水分，小便的时候只排一点点，而且它们的粪便十分干燥，几乎没有水分。

🐫 220~350厘米　kg 400~500千克

野骆驼
Bactrian Camel
濒临灭绝

单峰骆驼只有一个驼峰，比野骆驼大。

河马的尖牙最长可以达到70厘米以上。

河马 Hippopotamus

河马科

河马　生活在非洲，数十只结为一群傍水生活。虽然很胖腿又短，但是野生的河马跑起来比人快。虽然是草食性动物，但犬齿又大又尖，连鳄鱼都可以咬死。通常一整天都待在水里，只把眼睛和鼻子露出水面。河马的幼崽在水中吃奶。它们在水里时会把鼻孔闭起来，并用耳朵把耳孔堵上。

🐂 280~460厘米　kg 2~4吨

獐　主要在矮山或者水边活动，生活在中国长江流域和朝鲜半岛。擅长游泳，以各种水草、树叶为食。雄獐长长的犬齿露在外面，头上没有角。幼獐背部有白斑和白纹。

🐂 90~120 厘米　kg 14~20 千克

獐很喜欢水，因此西方国家叫它"水鹿"。

♂

獐 Water Deer

幼年雄性

狍子 Siberian Roe Deer

雄性獐　　　雄性狍子

狍（páo）子　生活在半山腰上，一般不下山。在中国东北林区生活着很多。雌性狍子没有角，雄性有角。角长到一定大小的时候会像树枝一样分叉。狍子臀部有明显的白色斑块。因为毛上有寄生虫，所以即使在冬天狍子也喜欢待在阴凉的地方，睡在雪地上。　🐂 100~140 厘米　kg 15~30 千克

晚春

夏天

秋天

雄性梅花鹿每
年都会换角。

梅花鹿 棕黄色的毛上点缀着白色梅花一样的斑点。广泛分布于中国东北，因栖息地破碎化严重，数量锐减。野生梅花鹿过群居生活，以草为食，性格温顺，但到了交配的季节，雄性梅花鹿之间就会拼尽全力，用鹿角凶狠地打架。只有雄性梅花鹿才长角。 🐂 110~170 厘米 **kg** 30~120 千克

♂ **梅花鹿** Sika Deer
濒临灭绝

驯鹿 Reindeer
濒临灭绝

驯鹿 主要生活在北极地区，在中国仅见于内蒙古大兴安岭最北端，极其稀有。数千只一起结群生活。蹄子宽大，雄性和雌性都长有鹿角。每年为了追逐食物迁徙超过 1500 千米。夏天，为了避开北极蚊子，会迁徙到更北的地方。驯鹿不只有野生的，也有人工饲养的。为圣诞老人拉雪橇的"鲁道夫"就是驯鹿。 🐂 130~220 厘米 **kg** 70~300 千克

中华斑羚　生活在海拔较高的山上。在中国分布于华北、西南及东部地区。尾巴上的毛非常浓密，雄性和雌性都有角。蹄子底部像橡胶一样，所以即使行走在陡峭的石头上也不会滑倒。中华斑羚不走自己不熟悉的路，它们固定在一个地方排泄。雪下得很大的时候，为了寻找食物，它们也会下到半山腰去。🐂 100~130 厘米　kg 22~42 千克

中华斑羚 Long-tailed Goral

山羊 Goat

山羊的粪便看着像黑色的豆子。

山羊　被养殖在农场里的草食性动物。雄性和雌性山羊都有角和胡须。因为喜欢陡峭的地方，所以经常被放养在山脚下。它们喜欢吃草，更喜欢吃树叶和细枝，葛藤也是它们最爱的食物之一。山羊很讨厌潮湿的地方，即使很饿也不会吃不干净的东西。跟牛一样，山羊也会反刍。

🐐 60~110 厘米　kg 30~40 千克

黄牛的脾气很倔，一旦开始角斗，就不会退缩，直到分出胜负为止。

黄牛 人类在 7000 年前就开始驯养黄牛，到现在，几乎世界各地都有饲养。会耕田，能负重物，给人类提供牛奶。现在，最常见的是农场里饲养的肉牛。黄牛吃完草以后，一整天都在反刍，再次咀嚼未消化的草。牛粪本来是没有什么气味的，但是在农场里吃饲料的牛排出的牛粪，气味相当难闻。

🐄 200 厘米　kg 300~500 千克

黄牛 Cattle

奶牛 Dairy Cattle

奶牛 人们为了获取牛奶而饲养奶牛。奶牛体形比黄牛大，乳房也很大，身上有黑白花纹，因此也被叫作"黑白花奶牛"。现在最多的是原产于荷兰的黑白花奶牛。本应放养在草地上的奶牛，现在大多被圈养在农舍里。一头黑白花奶牛一年的牛奶产量可以达到 5000 千克以上。

🐄 200~250 厘米　kg 600~1000 千克

绵羊　人类在一万年前就开始驯养羊了，最为常见的要数长着绵密卷毛的美利奴绵羊。美利奴绵羊在澳大利亚养殖最多，而中国最优良的绵羊品种是小尾寒羊。在蒙古和西亚，游牧民赶着羊群，以放牧为生。他们喝羊奶，吃羊肉，穿羊毛做的衣服，住在羊皮搭的房子里。　🐂 100~120 厘米　kg 95~115 千克

绵羊 Sheep

美洲野牛 American Bison

美洲野牛　生活在北美洲的野生牛，200 年前还有 6 千多万只，现在只剩下 2 万 ~ 3 万只生活在美国和加拿大的保护区。根据季节的变化，它们会成群结队地去寻找比较鲜嫩美味的草吃。虽然体形很大，但奔跑时时速可以超过 60 千米，并可以轻松跃过跟自己一样高的障碍物，也很擅长游泳。

🐂 210~350 厘米　kg 400~1000 千克

长颈鹿科

长颈鹿 最高的陆生哺乳动物，雄性长颈鹿身高可以超过5米，仅脖子就可以达到2米长。它的颈椎跟其他哺乳动物一样，由7块骨头组成。吃地上的草对它来说相当困难，而吃高处树枝上的嫩叶对它来说却易如反掌。和非洲大草原上的斑马或者羚羊一起结群生活。体形很大，擅长奔跑。遇猛兽攻击时，会用强有力的后蹄踹过去。　　380~550厘米　kg 700~1900千克

长颈鹿 Giraffe

长颈鹿的脖子很长，所以它们在喝水的时候会把前腿叉开。

长颈鹿的个子很高，舌头又长，所以很容易就能吃到高处的树叶。

蓝鲸　地球上最大的哺乳动物。有些刚出生的蓝鲸幼崽就长达 7 米。又叫"剃刀鲸"。无论是热带海洋还是冰冻的南极，都是它的活动范围。虽然重达 180 吨，却是以磷虾这种小虾为食。从 1966 年开始，蓝鲸在国际上被列为禁止猎杀的保护动物。🐂 33 米　kg 180 吨

蓝鲸 Blue Whale
濒临灭绝

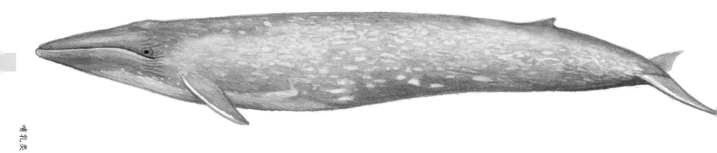

灰鲸 Gray Whale
濒临灭绝

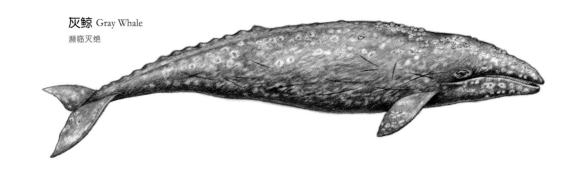

灰鲸科　　**灰鲸**　主要生活在太平洋北部，在中国广东、海南沿海海域可见。全身呈灰色，因为身上有藤壶附着，所以会有一块块白色斑点。把头露出水面呼吸不一会儿，就会神不知鬼不觉地消失。进食时，吸进大量海底的泥土，然后过滤出自己需要的食物。🐂 15 米　kg 30 吨

抹香鲸科　**抹香鲸**　体形最大的齿鲸，又叫"巨抹香鲸"。头部很大，尾部显得较小，看上去像一只大蝌蚪。它们可以潜到水下 3000 米深，潜水时间可达两小时。以深海中的大王乌贼为食。在冬天，它们生活在赤道附近的温暖海域，到了春天，就回到北极去了。　🐂 18 米　kg 50 吨

抹香鲸 Sperm Whale
濒临灭绝

宽吻海豚
Common Bottle-nosed Dolphin

宽吻海豚会时不时地出现在浅海。

海豚科　**宽吻海豚**　在浅海比较容易见到的海豚，也是最常见的海豚。它的嘴像瓶颈一样长长的，又叫"尖嘴海豚"。结群生活，以乌贼和鱼为食。驯化后能听懂人类的语言，所以经常被饲养在水族馆中。　🐂 2~4 米　kg 200~500 千克

松鼠　生活在树林中。不只是在深山里，在某些城市的公园里也可以看到它们的身影。体形比花鼠大，毛色呈深灰。到了冬天，毛会变得浓密，耳朵下面也会长出长长的毛。它们可以在树上轻松地跳来跳去。秋天，会把松子、橡果等果实存到地下洞穴里。冬天并不冬眠，而是会沿着树干蹿上蹿下，寻找自己藏起来的食物。

🐂 20~25厘米　🐂 13~20厘米　kg 250~350克

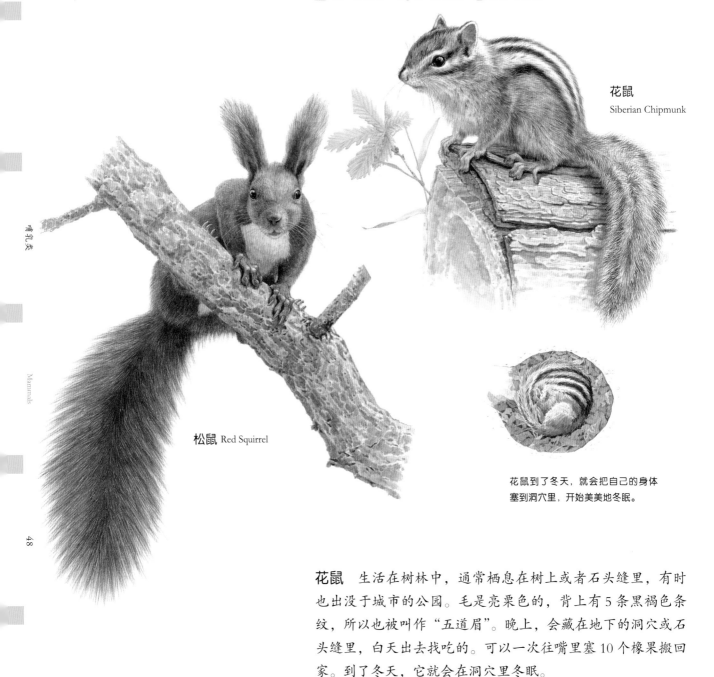

花鼠
Siberian Chipmunk

松鼠 Red Squirrel

花鼠到了冬天，就会把自己的身体塞到洞穴里，开始美美地冬眠。

花鼠　生活在树林中，通常栖息在树上或者石头缝里，有时也出没于城市的公园。毛是亮栗色的，背上有5条黑褐色条纹，所以也被叫作"五道眉"。晚上，会藏在地下的洞穴或石头缝里，白天出去找吃的。可以一次往嘴里塞10个橡果搬回家。到了冬天，它就会在洞穴里冬眠。

🐂 12~17厘米　🐂 8~13厘米　kg 70~100克

小飞鼠 生活在树林中。当小飞鼠的四肢伸直时，身体两侧就会像布一样展开，这时它们就可以在树枝间滑翔了。从树上下来的时候也像滑翔机一样落到地上，上树的时候就用爪子爬上去。白天在树洞里面睡觉，到了晚上就出来吃嫩芽和树叶。不冬眠。 🐂 10~16厘米　🐂 10~12厘米　**kg** 80~120克

小飞鼠从高的树上到低的树上时，是靠"飞"的。

小飞鼠
Siberian Flying Squirrel

金仓鼠 Golden Hamster

仓鼠科　　　**金仓鼠** 很多人觉得它很可爱，所以有人把它当作宠物来饲养。身体圆圆的，尾巴很短，毛色各种各样。以谷物和昆虫为食。金仓鼠是夜行动物，晚上比白天活跃。性格很温顺，但如果惹恼了它，它就会咬你的手指头。冬天靠储存的食物生活，只有极少数会冬眠。

🐂 12~15厘米　🐂 1.5~2.5厘米　**kg** 130~180克

黑线姬鼠　一种体形极小的鼠类。背上有一条黑色条纹，也叫"黑线鼠"。常在农田和草地上挖洞，洞很深，通道是弯弯曲曲的。以谷物、草籽和坚果为食。秋冬季节会传播流行性出血热和恙虫病。

🐐 7~14 厘米　🐐 6~10 厘米　kg 12~50 克

黑线姬鼠 Striped Field Mouse

褐家鼠 Brown Rat

巢鼠 Eurasian Harvest Mouse

巢鼠　体形极小，体重跟鹌鹑蛋差不多。在长长的草上建造自己的窝，看上去与鸟巢十分相似。一年产崽两次，分别在春天和秋天。冬天常在草垛或地下建巢。

🐐 5~8 厘米　🐐 4~9 厘米　kg 5~14 克

褐家鼠　一种常见的鼠类，有人的地方就有它的身影。生活在城市的地下室、昏暗的仓库或下水道里。晚上出来觅食，能吃的东西它都吃，甚至连排泄物也吃。因为它的前齿会不停地长，所以会啃肥皂、电线杆或柱子来磨牙。一年生 3~4 胎，一胎有 6~7 只。　🐐 18~28 厘米　🐐 15~30 厘米　kg 150~300 克

哺乳类

Mammals

兔子屎很像干草揉成的团。

家兔　人们为了获得兔毛或者为了食用而饲养家兔。不同种类的家兔毛色不同，白色和灰色的比较多，也有黑色和杂色的。主要吃白菜、胡萝卜之类的蔬菜和蒲公英、苦菜之类的野菜。家兔一年产崽很多次。

🐐 20~30厘米　㎏ 2.5~3.5千克

家兔 Rabbit

野兔 Hare

兔子的毛有白色的、黑色的、黄色的和灰色的，也有杂色的。

野兔　生活在山上的兔子，又叫"山兔"。主要以草和小树苗为食。它们没有自己的窝，一般藏在石头下面或者草丛里。冬天不冬眠，而是在农田或树林里跳来跳去。以前在村庄后山就有很多，现在已经很难看到了。　🐐 42~52厘米　㎏ 1.5~3千克

哺乳类

Mammals

51

鸟类

长着翅膀的鸟

鸟的祖先是恐龙，为了飞翔它们进化成了现在的样子：前肢变成翅膀，身体变得十分轻盈，下巴和牙齿变成尖尖的喙，骨头变成了中空的。身体里面有气囊，当它们吸入空气后，很容易飞起来。但是也有比较特殊的鸟类，例如：鸵鸟因体形太大而飞不起来，鸡鸭等经人类饲养的鸟类飞行功能退化，企鹅不能飞但是擅长游泳。

身体构造

羽毛 鸟的体表都长有羽毛。翅膀上的羽毛和尾羽比较硬，身体上的羽毛则比较柔软，胸前的羽毛更是柔和温暖。鸟类翅膀上的羽毛用来乘风或划开空气，尾羽用来控制方向，身体上的羽毛用来维持体温，胸前的羽毛则用来孵卵。

鸟翼骨
仔细看鸟类的翅膀，会发现它们跟人一样，有像手臂一样的骨头结构。

气囊
体内有许多个小气囊。

爪子
一双，覆有鳞状物

太平鸟

柔软的羽毛

大斑啄木鸟

斑鸠

戴胜

松鸦

栗耳短脚鹎（bēi）翅膀一张一合，像冲浪一样飞翔。

雉鸡

普通夜鹰

斑嘴鸭

喙　鸟类没有牙齿，但它们的喙非常坚硬。不同种类的鸟，喙长得都不一样。因为它们的生活环境不同，喙的外形和功能也就各不相同。有的喙用来啄果实，有的喙用来撕开皮肉，有的用来抓鱼，有的用来剥豆子，也有的用来挖地。只要看喙，我们就可以判断出这种鸟是生活在哪里、吃什么食物。

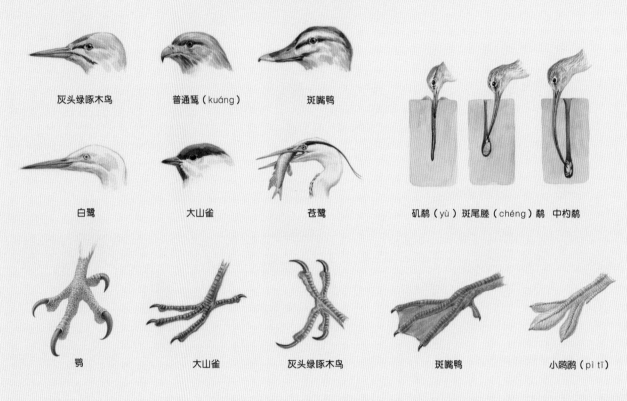

灰头绿啄木鸟　　普通鵟（kuáng）　　斑嘴鸭

白鹭　　大山雀　　苍鹭

矶鹬（yù）斑尾塍（chéng）鹬　中杓鹬

鹗　　大山雀　　灰头绿啄木鸟　　斑嘴鸭　　小鸊鷉（pì tī）

爪子　鸟有两个爪子，有3个或4个脚趾。爪子上没有肉，比较细，看起来和身体的大小不成比例。爪子的骨头是空的，表皮像蜥蜴一样覆盖着鳞状物。不同种类的鸟，爪子长得都不一样。经常在地上行走的鸟，后爪的趾特别长；生活在水边的鸟爪子又细又长；游水的鸟趾间有蹼；鹰和雕这样的猛禽类，它们爪上的趾像钩子一样锋利。

鹗的捕食过程

鸟巢和鸟卵

鸟巢 到了交配的季节，鸟儿们就会在安全的地方筑巢产卵。不同的鸟栖息的环境不一样，鸟巢的样子也不尽相同。有的鸟把巢建在树洞里；有的鸟用草叶在树枝上搭窝，像鸬鹚这种把鸟巢建在孤岛峭壁上的鸟则会使用海草；有的鸟会凿穿土墙，在上面建巢；有的鸟把鸟巢建在水面上；也有的鸟不建巢，直接把卵产在沙石地上，如金眶鸻（héng）。

灰鹡鸰（jí líng）马德拉亚种把巢穴建在水边桥上的缝隙里。

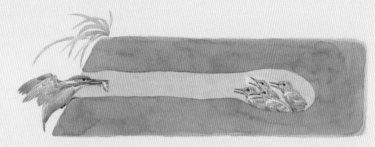

翠鸟把鸟巢建在土墙里。

大山雀的卵。

在鸟妈妈怀里被孵了12天后，幼鸟破壳而出。

出壳后第17天。

出壳后第20天。

鸟卵 鸟卵也就是鸟蛋，外壳看起来很薄，但是很坚硬。鸟妈妈孵卵的过程会持续数十天，有的鸟会把自己肚子上的毛拔掉，用温热的皮肤直接去孵卵。每个种类的鸟产卵数量都不同。有的鸟一年产几十枚卵，有的鸟一年只产一枚卵。破壳而出的小鸟会一直待在鸟妈妈的身旁，直到羽翼丰满。

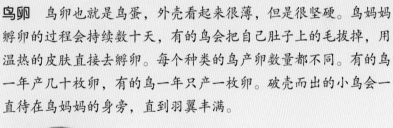

斑嘴鸭的卵　　　　　　雉鸡的卵　　　　　　喜鹊的卵　　　　麻雀的卵　　日本树莺的卵

鸟的分布

全世界的鸟类有 10000 多种。中国生活着大约 1400 种，这其中有一些是飞来临时落脚的过境鸟，有的是常驻不离的留鸟，也有春天飞来产卵、等小鸟长大以后再飞回原地区的夏候鸟，还有秋天飞来过冬的冬候鸟。其中不乏世界上的珍稀鸟类。

中国东部沿海是候鸟们在欧亚大陆的重要通道。秋天，会有许多水鸟从远方的阿拉斯加和西伯利亚飞来，停留在大河的入海口或者泥滩上。春天，有许多美丽的夏候鸟会在农田和溪谷里飞来飞去，如杜鹃和黄鹂。夏候鸟多以水边的小动物，比如昆虫和青蛙为食。

正在消失的鸟

现在地球上有 1000 多种鸟类濒临灭绝。由于森林面积减小及残忍的偷猎者偷猎，生活在热带丛林中的部分鸟类正面临生存的危机。由于泥滩变小，大河河岸环境的恶化也导致了每年飞来的候鸟数量逐渐减少。另外，翻船和油桶泄漏事故，让大海覆盖了一层黑黑的石油，只要发生一次，很多年之内鸟都无法在那里生活。农药也是导致鸟类死亡的因素之一。像镰翅鸡一样的许多鸟类我们今后很难在国内再看到它们的身影。

观察鸟类

鸟儿随处可见。光是在小区附近的公园里就可以看见几十种鸟。如果有望远镜的话，连远处的鸟也能看得很清楚。运气好的话还可以在草丛里找到鸟蛋。冬天的时候，去河流或者浅滩附近探寻鸟类也是不错的活动。比如去北京百望山和大连老铁山看鹰，去齐齐哈尔扎龙湿地看丹顶鹤，去白河峡谷或衡水湖看雁鸭类。不过在观察鸟的时候一定要注意不要吓到它们。

去观察鸟类的时候要穿着朴素，行动安静。

单筒望远镜

双筒望远镜

照相机

观察手册

水

鸟类图鉴

卷尺

塑料袋

鸟纲　　　鸵鸟目　　　鸵鸟科

鸵鸟　世界上现存的体形最大的鸟。生活在非洲干燥的大草原或沙漠边缘。因为身体很重，所以飞不起来。但是当遇到狮子或鬣狗袭击时，鸵鸟在 5~6 秒内，就能逃到百米以外。视力很好，而且耳朵长在后脑两侧，可以听见后面的声音。为了保护鸟巢，无法逃跑的时候，就会用强有力的爪子攻击敌人。

🐦 200~250 厘米　　**kg** 100~160 千克

一颗鸵鸟蛋重达 1.5 千克，蛋壳厚达两毫米。

鸵鸟 Ostrich
濒临灭绝

♂

火鸡 Wild Turkey

鸡形目　　　雉科　　**火鸡**　养在农场里的家禽。雄性火鸡的喉下垂有红色肉瓣。到了交配的季节，雄性火鸡的尾部就会像扇子一样展开，围着雌性火鸡转。它们生气的时候，头的颜色会变成蓝色。现在养殖的火鸡是由两千年前美洲印第安人从野生火鸡驯化而来的。直到现在，北美洲南部的田野里还能看到野生火鸡。　🐦 90~120 厘米　**kg** 3.6~6.8 千克

蓝孔雀 主要分布在印度和东南亚的丛林中。蓝孔雀雌鸟的外表很普通，雄鸟却羽色华丽，头上长着如王冠一般的羽毛。到了交配季节，雄鸟尾羽会变得很长，而且长有华丽的斑纹。尾羽打开的时候，就像展开了五彩斑斓的扇子。过了交配季节，尾羽就会脱落，变得不那么好看了。虽然体形很大，但是行动很迅速。遇到危险的时候就会发出"嗷呜"的声音，并且可以一口气跳上很高的树，逃之夭夭。

🐦 85~210 厘米　kg 3.5~5 千克

蓝孔雀
Indian Peafowl

家鸡　养在农场里的家禽。公鸡的鸡冠很大，尾巴会轻轻摆动，爪子后部有距；母鸡的鸡冠很小。虽然是鸟，但是飞不高，被惹急了就会跳到屋顶上。鸡是"一夫多妻制"。母鸡在春天孵卵，大约 20 天就可以孵出小鸡。

🐔 30~50 厘米　🄺ₖ𝗀 1.6~2.5 千克

♂

家鸡 Chicken

距

♀

小鸡一般在春天破壳而出，秋天长成成年鸡。

鹌鹑蛋比鸡蛋小很多，有杂色斑点。

日本鹌鹑　在中国大部分地区都能见到。又叫"鹌鹑"。体形比鸽子小，尾羽纤细，跟中等大小的小鸡差不多。以草籽和昆虫为食，情急时可以飞起来，但由于翅膀很短，所以飞不太远，扑腾着翅膀可以飞50米左右。人工饲养的鹌鹑一年可以产两百多枚卵。　🐦 18~20厘米　**kg** 110~150克

日本鹌鹑 Japanese Quail

♂　♀

雉鸡 Common Pheasant

雉鸡幼鸟的毛是褐色的，上面有杂色斑点。

雉鸡　体形比家鸡略小，但尾巴却长得多。也叫"野鸡"。雄性雉鸡羽色华丽，两颊为红色，爪子后面有锋利的距。雌性雉鸡春天在草丛里产卵。雉鸡不擅长飞行，但奔跑速度很快，着急的时候会摇摆着身体跳着跑开。以草籽和虫子为食，有时候会到豆田里去觅食。　🐦 60~80厘米

小天鹅　生活在芦苇较多的湖泊、水库和池塘中。羽毛雪白，体形很大，在水面上游着游着就会把脑袋伸到水里，吃水草的根茎。起飞的时候会在水面上"助跑"几步，然后起飞；降落的时候把两条腿展开，像乘坐滑水橇一样落到水面上。叫声清脆，听上去像"叩—叩—"的哨声。　🦆120厘米

小天鹅 Tundra Swan

尽管同为鸭科，但品种不同，脖子的长度也各不相同。

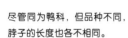

绿头鸭

鸿雁

小天鹅

鸿雁 Swan Goose

鸿雁　生活在开阔平原和草地上的湖泊、河流、水塘及附近地区。是家鹅的祖先。比豆雁的脖子长，脸和喙之间有一条白色的纹线，十分引人注意。用喙挖开泥土吃贝壳和水草根。到了春天，会集结成数十、数百只的雁群飞到中国东北及西伯利亚繁殖。　🦆87厘米

豆雁 在中国是冬候鸟，通常在10月份飞抵中国，在长江下游、东南沿海省份、海南及台湾越冬。体形比绿头鸭大，黑色的喙上长有一条橙色的带子。爪子也是橙色的。在天上飞的时候会排成人字形，发出"呱呱"的叫声。以谷子、水草的块状茎或稻穗为食。戒备心很强，在雁群休息的时候也会有一两只抬起头放哨。 🦆 85厘米

豆雁 Bean Goose

鸳鸯 Mandarin Duck

鸳鸯 一种在中国较为常见的观赏鸟类。雄性鸳鸯的羽毛颜色华丽鲜艳，翅膀上有一对扇状的羽毛是竖起来的；雌性的毛色比较朴素。夏天，几只鸳鸯会一起在溪涧或莲池里面嬉戏，冬天则成群栖息在湖泊或河流中。春天，它们会在溪涧旁边的树洞里筑一个巢。鸳鸯幼鸟在羽翼丰满以后，马上就会从高高的鸟巢里跳下来，跟着妈妈迅速地到水里游泳。

🦆 45厘米

家鹅 Goose

家鹅 养在农场里的家禽。体形比鸭子大很多，脖子也更长。公鹅额头上有一块很大的肉质突起。雌雄成对出入。有蹼，善游泳，不会飞。见到陌生人时会发出嘈杂的"呱呱"声，用喙啄，也会用翅膀拍击对方。鹅从不挑食，不管草籽还是活蛇，它们都吃。 🦆 55~90厘米

花脸鸭 在中国东北和华北地区可以看到。生活在江河、湖泊、水库等水域，是体形较小的鸭科动物。公鸭的脸上有太极图一样的斑纹，母鸭的鼻子旁边有小白点。数千余只花脸鸭一起在天上飞的时候，就像乌云在移动一样。人们也称之为"太极鸭"。

🦆 40 厘米

花脸鸭 Baikal Teal

绿头鸭 Mallard

绿头鸭爪子的温度比体温低，所以站在冰上也不会觉得冷。

绿头鸭 一种常见的水鸟，俗称"野鸭"。雄性头部呈深绿色，羽毛像绸缎一般有光泽，脖子上有一条又白又细的条纹；雌性的毛色则比较朴素。喙是黄色的。白天游水，或聚在沙地上休息。太阳下山以后，就飞到农田里找谷子和草籽吃。它们在活动时常会发出响亮清脆的叫声。　🦆 59 厘米

斑嘴鸭 是家鸭的祖先之一。头顶和眼睛旁边有黑色条纹，所以两颊看起来很白。喙大部分是黑色的，顶端是黄色的。雄性和雌性长得很像。春天在草丛或树丛里筑巢，一次产7~12枚卵，孵化需要26天左右。幼鸟羽毛一丰满，就会跟着妈妈去游泳。　🦆 61厘米

斑嘴鸭 Spot-billed Duck

家鸭 Duck

♂ ♀

普通秋沙鸭 Common Merganser

家鸭 养在农场里的家禽。体形比家鸡大，羽毛颜色各异。喙很宽，有蹼，擅长游泳，在地上走路的时候屁股会一摇一摆。与野生的鸭子不同，它们不会飞。　🦆 40~60厘米

普通秋沙鸭 冬天的时候，在中国东部和长江流域较为常见，生活在湖泊、山区、溪流和低地。头上的羽毛像扫把一样，向后聚拢。雄性秋沙鸭的脑袋是蓝黑色的，雌性的则是浅栗色。雄性和雌性的喙都是红色的，喙尖像钩子一样向下弯曲，并且有突起，所以可以捕食黑鱼这样的大鱼。它们和绿头鸭不同，十分安静。　🦆 65厘米

王企鹅　生活在南极附近的岛上，南美洲马尔维纳斯群岛上也能见到。虽然是鸟，却不会飞，擅长游泳，可以下潜到海底两百米左右。以小鱼、乌贼、磷虾为食。到了交配的季节，它们也不会建巢，而是把卵放在雄性王企鹅的脚背上，雄性王企鹅会垂下腹部覆盖脚面，进行孵化。在动物园里，王企鹅还会跟着人走来走去。　85~95厘米　kg 10~16千克

斑嘴环企鹅 African Penguin
濒临灭绝

王企鹅 King Penguin

斑嘴环企鹅　生活在温暖的海域。因为主要分布在非洲南部海域，所以也叫"非洲企鹅"。在企鹅中，斑嘴环企鹅的体形算小的，胸前有黑色条纹。人类接近时，也不会逃跑，会和人类一起在海边晒日光浴。因为它们的叫声跟驴很像，所以也被叫作"驴企鹅"。　35厘米　kg 3千克

潜鸟目　　　潜鸟科

红喉潜鸟　体形最小的潜鸟。晚秋的时候，会来到黄海、渤海海域。喙的尖端向上微微翘起，眼睛是红色的。一整天都待在水面上，需要捕食的时候才会潜到水里，最深可以下潜到 8 米，最长可以潜一分钟。它们的腿在身体后部，所以在陆地上行走比较困难。到了夏天，喉部就会变成红色的。

🐦 63 厘米

红喉潜鸟 Red-throated Diver

小鸊鷉有蹼，随着蹼一张一合来游泳。

♀

小鸊鷉 Little Grebe

鸊鷉目　　　鸊鷉科

小鸊鷉　在中国东部大部分开阔水面常能见到。体形接近中等大小的鸡，脖子周围是棕红色的，眼睛是黄色的。有时候，只把头露出水面，观察四周，如果有危险，就会马上把头缩回水里。会把水生植物堆在一起，建一个浮在水面上的巢，在上面产卵。幼鸟羽翼一丰满，就会爬到妈妈的背上，离开鸟巢。幼鸟头部有白色斑纹。　　🐦 26 厘米

鸟纲　　　　红鹳目　　　　红鹳科

加勒比海红鹳　生活在西印度群岛和南美洲北部。羽毛呈红色，腿和颈又细又长，喙像镐头一样向下弯曲，有蹼。春天，数千只加勒比海红鹳会聚集到湖泊或沼泽跳起求偶舞。红鹳会把喙伸进水中，用舌头在泥土中寻找食物。因为主要分布在南美洲，所以也叫"美洲红鹳"。

🦆 120~140 厘米　　kg 2~3 千克

苍鹭 Grey Heron

苍鹭捕到鱼后，会从鱼头部分开始吃。

加勒比海红鹳
American Flamingo

红鹳单腿站立休息或睡觉。

鹳形目　　　　鹭科

苍鹭　在中国各个地区广泛分布，近年来几乎每个季节都可以在水边看到它们的身影。体形较大，但是体态轻盈。翅膀是灰色的，有黑色的矛状羽。它们常在一个地方一动不动地等候，然后在一瞬间低头捕到鱼。在天上飞的时候，会把脖子缩成 S 形。鸟巢一般建在松树等大树上，用干燥的树枝建成。会发出"呜啊呜啊"的叫声。　🦆 93 厘米

小白鹭　生活在沼泽、稻田、湖泊和滩涂里。像走禽一样，会固定在一个地方生活。喙和腿是黑色的，爪子则是黄色的。到了交配的季节，头上会长出两根柔软的矛状羽。在农田或小溪边捕鱼、青蛙或者昆虫吃。会用脚在水草间翻找捕鱼，也会静静地站在水坝上，捕食游上来的鱼。

🕊 61 厘米

小白鹭 Little Egret

夜鹭
Black-crowned Night-Heron

牛背鹭 Cattle Egret

牛背鹭　在中国主要分布在长江以南的低洼地区。在插秧的季节会飞到田里来。脖子和胸前的黄色羽毛非常显眼。虽然也会捕鱼吃，但主要以昆虫为食，会落在牛背上吃寄生虫和牛虻。到了八月末，羽毛上的黄色会褪去，变得像白鹭一样全身洁白。　🕊 50 厘米

夜鹭　生活在溪流、水塘、沼泽和水田地里。冬天也可以经常看到。头顶和背部是蓝黑色的，腹部是白色的。两三根又长又白的矛状羽向后展开，眼球是红色的，喙是黑色的。脖子看起来很短，在捕鱼的时候才会展现它原本的长度。夜鹭的腿要比白鹭和牛背鹭的短。在太阳下山的时候开始活动。

🕊 57 厘米

东方白鹳　一种珍稀鸟类。腿和喙都很长，躯干修长，身体大部分的羽毛为白色，翅膀末端的羽毛为黑色。眼珠子是黄色的，眼周像流血了一样通红通红。与其他鸟不同，它们没有鸣管，所以不能鸣叫。到了交配的季节，它们会用上下喙发出"哒哒哒"的声音。🐦 112厘米　🦢 195厘米

朱鹮 Crested Ibis
濒临灭绝

东方白鹳 Oriental White Stork
濒临灭绝

鹮（huán）科　　**朱鹮**　喜欢栖息在高大的乔木顶端。野生朱鹮只有中国还剩一千只左右。体形只有黑脸琵鹭那么大。脸是红色的，喙很细长，末端向下弯曲。在泥土中抓蚯蚓和田螺吃。当天气太冷，泥土冻结后，它们就会去抓小鱼吃。会发出"啊呜啊呜"的叫声。🐦 76厘米

黑脸琵鹭 生活在湖泊、河流、沼泽和水田地里。长而扁平的喙形似中国乐器中的琵琶。它们会用自己的喙在水里划来划去找食物。羽毛是白色的。到了交配季节，头上的羽毛会变长，而且和胸前的羽毛一样都会变成黄色。现在世界上仅剩600多只。　🦆 74厘米

暗绿背鸬鹚 Temminck's Cormorant

黑脸琵鹭 Black-faced Spoonbill
濒临灭绝

鹈 (tí) 形目　鸬鹚科

暗绿背鸬鹚（lú cí） 生活在温带海洋沿岸的岛屿上，喜欢在峭壁上建巢，结群而居。羽毛是黑色的，有蓝色的光泽。喙像钩子一样向下弯曲。会潜入海中捕食鱼类，从水里出来以后，展开翅膀，低头把水滴甩干。鸬鹚妈妈会把小鱼储藏在嗉囊里，通过喙喂给鸬鹚幼鸟。　🦆 84厘米　🕊 133厘米

鸟纲　　　　隼形目　　　　鹗科

鹗　生活在湖泊、河流和海岸附近。捕食的时候先高高地飞上天空，盯着水底，然后直插入水里，用爪子抓住鱼。遇到鲻（zī）鱼群的时候，可以一次性抓住两到三条。如果抓的鱼太大了，鹗的爪子会嵌进那鱼的肉里，鹗就没办法飞起来，还会被拖下水淹死。为了不被海鸥抢去食物，它们会把抓来的鱼带到很高的地方才开始享用。　🦅 58厘米　🦅 147~169厘米

鹗 Osprey

秃鹫 Cinereous Vulture

鹰科

隼科的鸟类翅膀末端聚拢。

鹰科的鸟类翅膀末端呈分叉状。

秃鹫　是中国鸟类中翼展最大的。喙像钩子一样。羽毛为黑色，头上的羽毛很短，看起来有点像秃头。展开宽大的翅膀，在高空中翱翔。有时会上百只聚在一起。行动很迟钝，所以没办法捕食活的动物，主要吃腐肉。有的时候会被麻雀和乌鸦抢走腐肉。　🦅 100~112厘米　🦅 250~295厘米

鸟类

Birds

72

隼（sǔn）科

红隼 在中国各个地区广泛分布，是最常见的隼科动物。会飞到城市的高层建筑物顶端筑巢。雄性的头部和尾羽是灰色的，而雌性的则是红色的。可以看见紫外线，所以在空中能通过老鼠尿液反射的紫外线而追踪到猎物。在高空翱翔，找到老鼠以后，先停在那里一动不动，然后瞬间下降，用爪子一下子抓住老鼠。一般一次可以产卵4~6枚。

🪶 33~39 厘米　　🪽 68~76 厘米

♂　♀

红隼 Common Kestrel

♂

安第斯神鹫
Andean Condor

游隼 Peregrine Falcon

游隼 世界上短距离冲刺速度最快的鸟类。栖息在海边的峭壁上，并在那里产卵。肚子和翅膀上有横纹，眼睛下面有明显的黑色花纹。它们的视力比人类强八倍。捕食的时候，先是在高处的石头上向下俯瞰，发现猎物以后，就会像箭一样飞出去，然后先用强有力的爪子把猎物打晕，在猎物还没掉到地上的时候，又在空中抓住猎物。

🪶 42~29 厘米　　🪽 84~120 厘米

美洲鹫科

安第斯神鹫 分布在南美太平洋沿岸到安第斯山脉区域，喜欢栖息在海拔较高的岩壁上。头是鲜红色的，脖子上有一圈白色的羽毛，像是围了一条围巾一样。雄鹫的前额有一个大肉垂，雌鹫则没有。它们会展开巨大的翅膀，在高空中翱翔，寻找动物的尸体。视力极佳，即使在一千多米的高空，也可以找到食物。

🪶 110~140 厘米　　🪽 270~320 厘米　　kg 雄性 11~15 千克，雌性 8~11 千克

黑水鸡　生活在湖泊、池塘和运河里。多见于水草较多的地方。羽毛是黑色的，前额为红色，喙的尖端为黄色。没有蹼，但脚趾很长。擅长游泳和潜水。与骨顶鸡不同，它们走路的时候会撅着屁股，有的时候还会在荷叶上行走。一年产两次卵，春天出生的幼鸟会照顾夏天出生的弟弟妹妹。　🦆 32 厘米

黑水鸡 Moorhen

骨顶鸡 Coot

♀

♂

董鸡 Watercock

董鸡　在中国是夏候鸟，春末夏初，就可以在华中、华东、华南的平原湿地看到它们的身影。在夏季繁殖期会发出类似"咯—咚"的吟叫声。雄鸟的羽毛为黑色，雌鸟的是浅栗色。雄鸟的头上有一块红色的额甲。在水田里寻找田螺、昆虫和水草来食用。它们一般把巢筑在水边的草丛里，用水稻或草的茎干编制而成。　🦆 40 厘米

骨顶鸡　生活在湖泊、水库、苇塘等各类水域中，常潜入水中寻找水草食用。羽毛为黑色，喙和前额是白色的，眼睛是红色的。足为瓣蹼足。情急之下，会扎入水里，或者从水面逃走。它们在起飞的时候也需要先在水面助跑。　🦆 36 厘米

鹤科

丹顶鹤 又叫"仙鹤"。在中国，丹顶鹤繁殖于东北地区，入秋后迁飞南方越冬。早春的时候，有时可在北京密云水库周边看到。头顶是红色的，肚子是黑色的，羽毛大部分为白色，翅膀后端的羽毛则是黑色的，所以站着不动的时候，屁股看起来黑黑的。可以发出"呵呵"的叫声。会在收获完的田里捡水稻种子、泥鳅和田螺吃。一生只有一个伴侣。到了交配的季节，它们会舞动翅膀，跳起美丽的鹤舞。

🐦 140 厘米　🕊 240 厘米

丹顶鹤 Red-crowned Crane
濒临灭绝

蛎鹬　在中国，分布于沿海地区。头和背是黑色的，腹部雪白，喙和眼睛是橙红色的，可以从很远的地方就看到它们。数千只聚在一起越冬的时候，会传出管笛般的"哼唱"声，就像在开交响音乐会一样。以滩涂上的贝壳和虾为食，擅长捕食牡蛎。　🐦 45厘米

蛎鹬
Eurasian Oystercatcher

黑翅长脚鹬
Black-winged Stilt

反嘴鹬科　　**黑翅长脚鹬**　生活在湖泊、浅水塘和沼泽地带。腿是红色的，又细又长，腿的长度甚至超过了躯干。因此即使在水很深的地方，也可以找到食物。会在开阔的湖边沼泽或湖中浅滩上筑巢，下雨的时候会用草的茎秆把鸟巢抬高。遇到敌人会发出"嘎嘎"的叫声。　🐦 37厘米

凤头麦鸡 中国各地较为常见的鸟类。头顶有几根很长的羽毛竖起。后背和翅膀有光泽，像深绿色的绸缎一样漂亮。许多只一起行动。捕食的时候，会轻轻抖动自己的腿，缠住泥土中甲虫等猎物，然后抓上来吃。叫声细长，听起来像"挥——"。 🐦 30厘米

凤头麦鸡 Northern Lapwing

金眶鸻的卵只有一元硬币那么大，上面的图案跟碎石很像。

金眶鸻 Little Ringed Plover

幼鸟刚破壳而出就长有羽毛。

金眶鸻 生活在湖泊、河岸、沼泽和农田地带。体形比麻雀稍大，腿比较长，眼睛周围有一圈黄色的斑纹，好像戴了金边眼镜一样。边走边发出"啾啾"的声音。迈着"小碎步"捉昆虫吃。春夏季在砂石地里产卵，一次通常产4枚。

🐦 16厘米

斑尾塍鹬 生活在沼泽、稻田与海滩上。喙往上微微翘起，雄鸟腹部的毛是红色的。春天的时候，会一口气连续飞九天，从一万多千米外的新西兰飞到黄海。当它们到达黄海的时候，体重大约是起飞时的一半。在黄海短暂停留一个月以后，又继续向数千米外的阿拉斯加飞去。 🐦 39厘米

斑尾塍鹬 Bar-tailed Godwit

白腰杓鹬 Eurasian Curlew

矶鹬
Common Sandpiper

白腰杓鹬 生活在湖泊、河岸和农田地带，冬季也常出现在海滨和沿海沼泽湿地。会用弯曲的长喙去捉藏在滩涂里的螃蟹，捉到以后，会把螃蟹的腿去掉，吃之前再把躯干在海水里洗一洗。退潮的时候会随着海水去到更远的滩涂上，涨潮的时候则会跟着潮水上到岸边。 🐦 58厘米

矶鹬 河边或海边、溪边都很常见。比燕子稍大一些。站立时不住地点头摆尾。它们的喙在鹬科动物中算短的。以滩涂浅层的沙蚕为食。独自挥舞着翅膀在水边低飞。 🐦 20厘米

黑尾鸥 在中国分布在沿海地带。体形只有喜鹊那么大。背和翅膀为暗灰色，喙是黄色的，尖端有红色的斑点。会跟着渔船飞，捡小鱼吃，也会在码头附近吃食物残渣，有时候也会抢鹭的猎物。巢筑在孤岛的峭壁上。 🐦 47厘米

黑尾鸥 Black-tailed Gull

银鸥 Herring Gull

棕头鸥
Black-headed Gull

银鸥 常在沿海、内陆水域和垃圾成堆的地方活动。体形比黑尾鸥大，喙的下半部有红色斑点，腿是淡粉红色的。因为追着鲱鱼群飞，所以英语里也称它们为"鲱鱼鸥"。 🐦 62厘米

棕头鸥 生活在湖泊、水库、河流和沼泽地带。体形比黑尾鸥小。喙和腿是红色的，像抹了油一样有光泽。冬天的时候头上的羽毛是白色的，眼睛后面有黑色的斑块。春天，到了往北飞的时候，头上的羽毛会变黑。 🐦 40厘米

金刚鹦鹉　生活在美洲的热带雨林中。眼睛周围一圈是白色的，头和腹部的羽毛是鲜红色的。人们用锤子也很难砸开的果实，金刚鹦鹉却能用喙将其果皮啄开，并用舌头将果仁卷到嘴里。被人驯化后，还会模仿人说话。一旦找到配偶以后，就会一起生活，直到死去。伴侣之间互相抚顺羽毛，发出"咯咯"的声音聊天，感情很好。　🐦 85~90厘米　kg 1~1.5千克

金刚鹦鹉 Scarlet Macaw
濒临灭绝

山斑鸠　常在开阔的农耕区和村庄活动，公园里也有很多。发出"咕咕"的叫声。脖子两侧各有一小团蓝灰色的羽毛，背上的羽毛边缘为棕红色，形成扇贝状的斑纹。早春，在松树或冷杉上用树枝筑巢，巢的结构很松散。一次大约产两枚卵。幼鸟把头伸到鸟爸爸或鸟妈妈的嘴里，吃爸爸妈妈消化了一半的食物。这种食物叫作"鸽乳"。　🕊 33厘米

大杜鹃偷偷地在棕头鸦雀的鸟巢里产卵。

大杜鹃幼鸟从蛋壳里出来以后，就会把其他没孵化出来的蛋推下去。

棕头鸦雀会把大杜鹃的鸟当作自己的孩子，尽心喂养。

山斑鸠 Rufous Turtle Dove

大杜鹃 Common Cuckoo

大杜鹃　夏天的时候，在中国各地几乎都能见到。会发出"布谷布谷"的叫声，声音清脆。常站在树枝上，独自鸣唱。不孵卵，也不筑巢。它们会悄悄地把自己的卵产在大苇莺或棕头鸦雀的巢里。不结群，独自生活。　🕊 35厘米

雕鸮　鸱鸮科鸟类中体形最大的。耳羽很明显。从夕阳落山到朝阳升起的这段时间，会一直无声地飞来飞去，捕食猎物。通常捕食野鸡和田鼠。力气很大，也能抓起野兔和小鹿。会在树洞中或峭壁的凹处筑巢，有时也直接把卵产在地面上，有的雕鸮会在捕猎的时候撞上建筑物或车而丧命。

🦉 66厘米

雕鸮　　　灰林鸮　　　东方角鸮

东方角鸮
Oriental Scops Owl

雕鸮
Eurasian Eagle Owl

东方角鸮　在中国的鸱鸮科鸟类中是体形最小的。跟雕鸮一样，耳羽明显。白天在矮树枝或树洞里休息，天暗下来以后开始觅食。多以飞蛾等昆虫为食。每年的5～6月，都会在树洞或喜鹊废弃的巢里面产卵。　🦉 20厘米

灰林鸮 　生活在树木茂盛的山上。与雕鸮、东方角鸮不同，灰林鸮的耳羽并不明显。从前额到头顶有一明显的白色"V"形斑纹。通常白天睡觉，到了晚上，就会变身成凶猛的"猎人"。飞行的时候悄无声息，爪子锋利，可以瞬间俯冲下来捉住猎物并整个吞下。兔子、鸟类、昆虫都是它们的猎物。

🐦 38 厘米

灰林鸮会把自己消化不了的羽毛或骨头形成食茧吐出来。

普通夜鹰的口须又长又硬，方便捕食飞虫。

灰林鸮 Tawny Owl

普通夜鹰 Jungle Nightjar

夜鹰目　　　夜鹰科

普通夜鹰 　常在夜间活动，会发出类似机关枪"嗒嗒嗒嗒"的叫声。白天会紧贴着树枝休息，天一黑就出来捕食昆虫。捕食飞虫时边飞边张着嘴。不筑巢，把卵直接产在地上。

🐦 29 厘米

三宝鸟　常在山地和林区边缘的空旷处活动。全身蓝绿色。喙是红色的。飞起来的时候，会露出翅膀上的淡蓝色斑纹。站在高树或电线杆上，捕食飞过的昆虫。它们会把卵产在腐木洞或啄木鸟啄的树洞里。有的时候会赶跑喜鹊，占领它们的鸟巢。　🐦 30厘米

戴胜 Hoopoe

三宝鸟
Broad-billed Roller

戴胜科

戴胜　在中国绝大部分地区都有分布。头上的羽毛展开后，就像印第安酋长的头部装饰物一样。飞行时像一只展翅的花蝴蝶，一边飞一边会发出"呼——呼——呼"的叫声。喙又长又尖，用喙在地里找蝼蛄吃，所以经常会沾上泥土。桑葚成熟的时节，会栖息在桑树上。　🐦 28厘米

普通翠鸟　最常见的一种翠鸟，生活在海滨和水道沿岸。翅膀是蓝绿色的，腹部是橘色的。体形很小，喙长而坚硬。在水边的树枝上观察水里的动静，一旦发现鱼，马上像跳水一样扑通一下跳到水里，叼起鱼立即飞走。如果鱼挣扎的话，会把鱼摔向地面或树枝，等其死后，从鱼头开始吞进去。春天，会在泥崖上，凿一个深洞当自己的巢。　🐦 17厘米

普通翠鸟 Common Kingfisher

赤翡翠
Ruddy Kingfisher

蓝翡翠
Black-capped Kingfisher

普通翠鸟捉鱼的整个过程只有两到三秒。

赤翡翠　较少见，但分布广泛，沿海森林、红树林、林中溪流水塘等都有它们的踪迹。羽毛为深橘色，红色的喙十分醒目。雄鸟的叫声很明亮，听起来像"咕噜噜"的声音。跟普通翠鸟一样跃入水中觅食。初夏的时候，在树洞或村庄附近筑巢。跟家燕一样，第二年还会来前一年筑的巢。

🐦 27厘米

蓝翡翠　夏天的时候，几乎在中国东部各个地区都有分布。背和尾部是蓝色的，腹部为橘色，脖子则是白色的，喙是鲜红色的。跟普通翠鸟一样，会在悬崖峭壁上挖洞筑巢。如果峭壁够宽的话，会有好多对蓝翡翠在同一面峭壁上筑巢。

🐦 30厘米

小星头啄木鸟　在啄木鸟家族中属体形较小的。会飞到公园里来。喙像铅笔芯一样尖。啄木时即使有人接近也不会飞走。五月份左右的时候，会在枯树内筑巢。　15厘米

小星头啄木鸟
Pygmy Woodpecker

大斑啄木鸟
Great Spotted Woodpecker

白背啄木鸟
White-backed Woodpecker

大斑啄木鸟　在中国为分布最为广泛的啄木鸟。后脑勺和腹部是鲜红色的。在背部能看到白色的"V"字形斑纹。大斑啄木鸟生活的树林能听到"嗒嗒嗒——嗒嗒嗒"的啄木声，有的时候还会传出像敲木鱼一样的声音。会把树木里面的金龟甲、天牛幼虫等鞘翅目的昆虫吃掉，也会吃坚果。　24厘米

白背啄木鸟　生活在茂密的山林里。外形跟大斑啄木鸟很像，背部也有白色"V"字形斑纹。不同的是，白背啄木鸟的头顶是红色的，腹部有黑色的竖条纹，体形也比较大。春天的时候，会在森林边缘地带的大树上凿洞产卵。比大斑啄木鸟稀少。　28厘米

鸟类

Birds

灰头绿啄木鸟 较少见，但广泛分布于各类林地和城市园林。背部是浅绿色的，头和腹部是灰色的。雄鸟的额头呈鲜红色。觅食的时候常从树干底部盘旋着向上攀爬，也会从树干倒行着到地面取食。经常在梧桐树上筑巢。 🔻30厘米

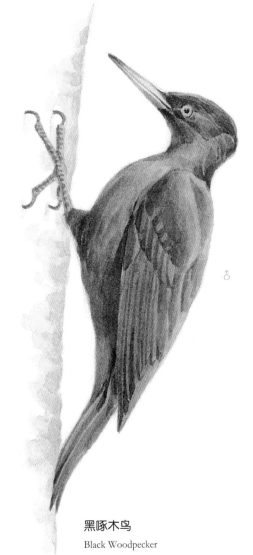

灰头绿啄木鸟
Grey-headed Woodpecker

黑啄木鸟
Black Woodpecker
濒临灭绝

啄木鸟的喙像犬齿一样尖尖的，方便啄木。

爪子前后各两个，可以很好地抓住树干。

黑啄木鸟 生活在茂密的山林里。全身黑色，体形很大。雄鸟头顶为鲜红色，雌鸟只有头顶后侧是红色的。会发出"叽呀叽呀"的叫声，声音清亮。会啄老树的树干，吃里面的幼虫，还会吃枯树上的蚂蚁。鸳鸯等体形较大的鸟，会在黑啄木鸟留下的巢里产卵。 🔻45厘米

家燕　春天的时候会飞到屋檐下筑巢。前额和喉部是红色的，腹部白色，后背黑色，尾部像剪刀一样分叉。行动轻盈，以蚊子和蜻蜓为食。在屋檐下，用泥土筑巢产卵，次年还会回到前一年筑的巢产卵。现代化的建筑大多没有屋檐，家燕一般不会去。　🦅 18厘米

家燕窝很结实，来年修修补补还能再用。

家燕 Barn Swallow

云雀 Eurasian Skylark

百灵科

云雀　冬天的时候，常见于中国北方地区。生活在农田和江边的草丛里。身体是亮褐色的，头顶上有翘起的羽冠，后爪的趾十分长。以地上的草籽和昆虫为食。一般不会飞到树上去，睡觉也在地上睡。到了交配的季节，雄鸟就会在草丛里一跃而起，飞到空中，唱着动听的歌曲。　🦅 18厘米

白鹡鸰 在中国广泛分布，在离水较近的耕地、草地、荒坡和路边都能见到。与黑背鹡鸰长得很像，但是眼睛两旁没有黑色横纹。走路的时候长长的尾羽上下摆动。捕食之前，会先观察一会儿周围动静再下到田里捉虫子吃。 ▲ 18厘米

白鹡鸰
White Wagtail

灰鹡鸰 Grey Wagtail

黑背鹡鸰
Black-backed Wagtail

灰鹡鸰 常在山区的河岸和道路上活动。腹部是黄色的，尾羽很长。走路的时候会上下摆动尾羽。雄鸟喉部是黑色的，冬季会变成白色，雌鸟喉部一直是白色的。在水面上飞得很低，捕食伊蚊和蜻蜓等昆虫。翅膀一张一合，呈波浪式前进。 ▲ 20厘米

黑背鹡鸰 生活在溪边、河流的入海口或海边。眼睛两旁有黑色横纹。羽毛大部分是白色的，头顶为黑色。走路的时候会上下摆动尾羽，即使在冰面上，也走得很稳。以水中昆虫如石蛾幼虫和水边的小虫为食。天气太冷，水面结冰以后就会觅食草籽。 ▲ 21厘米

栗耳短脚鹎 一种常见的鸟类，生活在森林、耕地和城市园林，在公园里很常见。全身灰色，耳朵周围是褐色的。体形只有鸽子那么大。叫声喧闹，常发出"哔——哔——"的声音。有的时候会许多只一起攻击麻雀。冬天的时候吃柿子和山茱萸（zhū yú），夏天的时候吃昆虫，早春的时候会吃花蕾。

📏 28厘米

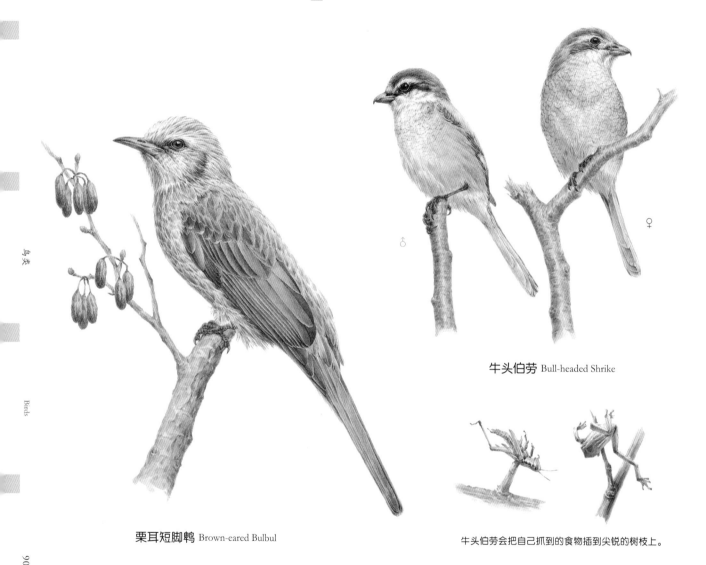

栗耳短脚鹎 Brown-eared Bulbul

牛头伯劳 Bull-headed Shrike

牛头伯劳会把自己抓到的食物插到尖锐的树枝上。

伯劳科

牛头伯劳 生活在山麓和平原上。体形比麻雀稍大，喙和鹰的一样锋利。会旋转尾部，上下摆动，发出嘈杂的声音。可以捕食比自己体形大的老鼠和蛇。会把抓到的猎物插到尖锐的树枝上啄着吃，还会把青蛙晒干吃。 📏 20厘米

褐河乌 在河流中的大石上或河岸崖壁处活动，很少会到河岸地上来。体形比栗耳短脚鹎小，全身深褐色。尾羽往上翘起，走路的时候尾部会一摇一摆的。会潜水、会游泳。冬天的时候，会在比较薄的冰层打洞钻进水里，用喙咬住石蛾等昆虫，或把幼虫窝直接拽出来，吃里面的幼虫。一般在水边的峭壁或倒下的木头上筑巢。

🐦 22厘米

褐河乌 Brown Dipper

鹪鹩 Winter Wren

太平鸟 Waxwing

鹪鹩 (jiāo liáo) 科

鹪鹩 生活在潮湿的密林和灌丛中。体形比麻雀小很多。跳到水边的石头上时，会竖起它们的短尾羽。冬天的时候会在村庄附近活动。钻到建筑物的缝隙或烟囱里找虫子吃。 🐦 10厘米

太平鸟科

太平鸟 冬季常见于公园、郊野林间。头上有羽冠，尾羽末端是鲜黄色的。翅膀末端像抹了发蜡一样光滑亮丽。有时会有数十只聚群从桧柏和蔷薇丛中飞出。爱吃金银木的红色果实。 🐦 20厘米

北红尾鸲（qú） 乡村或公园里都能够见到。尾羽会上下摆动，发出"嗒嗒嗒"的声音。雄鸟胸前呈红褐色，头和翅膀是黑色的。雌鸟羽毛为浅褐色，比较朴素。在灌木丛或草丛里交配，在树洞或石头缝里用苔藓和干草筑巢。经常有北红尾鸲把巢筑在邮筒上。　🐦 14厘米

北红尾鸲 Daurian Redstart

斑鸫 Dusky Thrush

斑鸫 常在平原田地和山坡上的灌丛间活动。爪子很长。雄鸟的胸部和肋下有黑色斑纹。翻开干叶子找昆虫吃，走几步就看看四周，再继续寻找。也叫作"穿草鸡"。赤颈鸫跟斑鸫长得很像，只不过胸前是红褐色的。　🐦 23厘米

鹟（wēng）科

棕头鸦雀　会在草地和树丛里跳来跳去。头顶是红色的，两眼向内凹陷，全身圆滚滚的，尾羽很长。发出"啾啾啾"的叫声。用草叶和蜘蛛网把鸟巢筑在树丛或树枝上，产3~5枚卵，卵像珠子一样。布谷鸟会偷偷在它们的鸟巢里产卵，它们也察觉不到，会当作自己的卵来孵化。　🐦 13厘米

棕头鸦雀
Vinous-throated Parrotbill

东方大苇莺
Oriental Great Reed Warbler

树莺 Bush Warbler

树莺的卵

树莺　会在矮树丛间跳来跳去，胆子很小，一般不会跳到树丛外面。卵是巧克力色的。大杜鹃会把卵悄悄产在它们的鸟巢里，因为杜鹃的卵也是巧克力色的。叫声清脆明亮。

🐦 14~16厘米

东方大苇莺　常在苇塘、稻田、沼泽和灌丛中活动。体形比麻雀大，羽毛为褐色。唱歌的时候，头上的羽毛会竖起来，喙张开后露出鲜红的颜色。它们会藏在芦苇地里，发出嘈杂的"嘎嘎嘎哔哔哔"的叫声，让人只闻其声不见其"鸟"。　🐦 18厘米

煤山雀　生活在针叶林中。头顶上有一小撮羽毛竖起。站在树枝上，发出短促的"七比七比"的叫声。摘下松叶以后，会一直用爪子抓着，吃藏在松叶根部的松针瘿（yǐng）蚊的卵或幼虫。很少下到地面活动。数量比大山雀和沼泽山雀要少。

 11厘米

煤山雀 Coal Tit

大山雀 Great Tit

沼泽山雀 Marsh Tit

给大山雀做的人工鸟巢，开口大小以3厘米为宜。洞口太大的话，它们不怎么飞进来。

大山雀　在山上和公园里很常见。体形与麻雀相似，但形态更为灵秀，从喉部到腹部有一条黑色斑纹，像系了领带一样。喜欢聚群停在树枝或电线上，发出"唧唧吱嘞嘞"的叫声。会把巢筑在树洞或楼房的缝隙里，也经常飞到人工鸟巢里安家。冬天，如果屋外放着花生或猪油，就会飞来啄食。　　14厘米

沼泽山雀　常在高大乔木的树冠活动。在山上和公园里很常见。体形比大山雀小。与大山雀不同的是，喙下面的黑色斑块比较小。经常和大山雀、杂色山雀一起行动。虽然个头儿很小，但是一年能吃上万只昆虫。它们会把巢建在树洞、人工鸟巢或电线杆洞里。冬天，把花生或猪油放在院子里，它们就会飞过来啄食。　　12厘米

杂色山雀　生活在阔叶树较多的山林和公园里。腹部是棕红色的。冬天，如果把松子和花生放在手里一动不动的话，就会被杂色山雀飞过来一粒一粒叼走。它们还会把食物藏在树皮或石头缝里。常筑巢在墙缝里或树洞里，也经常使用人工鸟巢。和大山雀、普通䴓（shī）、棕头鸦雀结群生活。

🐦 14 厘米

杂色山雀会用爪子抓住坚果，用喙把壳啄开。

杂色山雀 Varied Tit

普通䴓在树洞上筑巢，巢口的大小刚好自己能通过。

䴓科

普通䴓
Eurasian Nuthatch

普通䴓　在中国的大部分山林中广泛分布。体形只有麻雀那么大。眼睛周围有黑色斑纹，像戴了黑色墨镜一样。会沿着树干，看着地面往下爬。常利用啄木鸟的弃洞做鸟巢。如果树洞太大，它们还会用泥土把洞口封得小一点儿。有时候会为此一连工作二十多天。修好洞后，它们就会在里面产卵了。冬天，会和大山雀一起行动。　🐦 14 厘米

暗绿绣眼鸟　在各种类型的森林和果园、村庄附近都能见到。体形比麻雀小。羽毛是豆绿色的。眼睛周围有一圈白色斑纹，像眼镜框一样，十分明显。早春，会飞到山茶花上吃花蜜。吃完花蜜，喙上就会沾上花粉。也吃昆虫，在秋冬季节主要吃松子等植物果实和种子。　🐦11厘米

暗绿绣眼鸟喜欢山茶花花蜜。

暗绿绣眼鸟
Japanese White Eye

黄喉鹀
Yellow-throated Bunting

鹀（wú）科　　**黄喉鹀**　生活在山麓或河边的树丛里。体形比麻雀稍大。喉部是黄色的，羽冠竖起。胸前有黑色三角形斑纹，像戴了围嘴似的。十只左右聚成一群生活，以草籽和植物果实为食。在地上边走边找食物。它们叼走稻谷以后，会轻轻地按住，用喙把壳剥掉再吃。　🐦16厘米

金翅雀　在低山、高山区和平原地区都有分布。体形跟麻雀相似，但喙比较大。飞起来的时候会露出翅膀和尾羽上的黄色羽毛。冬天，二三十只聚成一群在田野上飞来飞去。发出"咕噜噜"，像珠子滚动的声音。喙很坚硬，能吃很硬的种子。一般在山脚地带的针叶树上筑巢。　🐦 14厘米

金翅雀
Oriental Greenfinch

锡嘴雀 Hawfinch

麻雀 Tree Sparrow

锡嘴雀　常在平原或低山的阔叶林中活动。体形比麻雀大。头和喙都很大。飞起来的时候能看到翅膀和尾羽末端明显的白色斑纹。会用喙剥开豆荚，看里面有没有豆子，如果有豆子的话，会连豆子的薄皮一起吃掉。冬天，渴了的时候会站在冰面上啜水喝。　🐦 18厘米

麻雀　常见的鸟类，城市和乡村都能看到。秋天在田野上成群活动，也会聚群站在电线上，看到地上有饼干屑会飞下来吃。走路的时候，两脚并拢跳着走。会在沙地里给自己洗"沙滩浴"。筑巢在墙缝里或屋檐下。　🐦 14厘米

灰椋鸟　在农田和公园里都能见到。全身灰褐色，头顶为黑色，喙和腿是深橘色的。飞起来的时候，翅膀看起来像是三角形。数十只成群活动，发出"吱嘞嘞"的叫声，十分嘈杂。主要捕食昆虫，也会飞到果园里吃套在袋子里的苹果和其他果实。　24厘米

灰椋鸟 Grey Starling

黑枕黄鹂 Black-naped Oriole

黄鹂科

黑枕黄鹂　夏天的时候，在低山和平原地区的树林中常能听到它们的鸣叫。叫声清脆明亮。成对出现在树上。羽毛鲜黄，喙鲜红，从远处就能看见。一般不会下到地上。它们会用草、蜘蛛网、碎纸等在较高的树枝上建巢。如果有人接近它们的鸟巢，黑枕黄鹂就会凶狠地朝对方"咳咳"鸣叫。　26厘米

小嘴乌鸦 冬天，可以看到它们静静地站在宽阔道路的电线上，把脖子伸长，发出"嘎嘎"的叫声。体形比麻雀大，从喙到爪子，通体黑色。主要以腐肉为食，也吃植物的种子和果实。小嘴乌鸦很聪明，会把坚果从高处摔下去，然后去掉外壳吃果仁。它们的巢一般筑在针叶树上。 ↓ 50厘米

小嘴乌鸦 Carrion Crow

松鸦 Jay

喜鹊
Black-billed Magpie

松鸦 生活在针叶林、阔叶林等森林中。体形只有鸽子那么大。翅膀上有蓝、白、黑三色相间的斑纹，看上去仿佛散发着淡蓝的荧光。很擅长模仿其他鸟或动物的叫声。如果深山里面忽然传来猫叫声的话，那十有八九就是松鸦在叫。秋天，会把新鲜的橡果藏在地下。 ↓ 33厘米

喜鹊 常见的鸟类，在城市和乡村都可见到。叫声为单调的"洽—洽—"声。头是黑色的，腹部雪白。尾羽很长，有着深蓝色的光泽。喜鹊几乎什么都吃，不管是草籽、动物尸体、食物垃圾，还是果园里刚结的苹果。早春，在树顶、电线杆或公寓的阳台栏杆上筑巢产卵。 ↓ 46厘米

爬行类

在地上爬行的动物

爬行类动物表皮都覆有鳞片。两栖类动物的表皮很湿润，但爬行类动物的鳞片很硬很干燥。这些鳞片可以防止体内的水分蒸发，也可以抵御敌人的攻击。爬行类动物是冷血变温动物。人类吃东西或运动的话，体温会变高，感觉到热的时候就会通过流汗来降低体温。但是爬行类动物不会流汗，它们热的时候需要躲在阴凉的地方让体温不要升得太高，冷的时候要去晒太阳才能让体温升上去。只有维持在一定体温，它们体内的酶才能正常工作来消化食物。如果冬天不晒太阳的话，爬行类动物吃进去的食物可能会在体内腐烂。天气变冷的时候，蛇可能会把自己吃进去的食物重新吐出来，而鳖和乌龟经常会爬到石头上面晒太阳。因此，爬行类动物没办法生活在太冷的地方。全世界的爬行类动物有八千多种，其中大部分生活在热带和亚热带。到了冬天，生活在温带的爬行类动物就会潜到水里或地下，沉沉睡去。爬行类动物有龟、蛇、蜥蜴、鳄鱼等。龟有坚硬的龟壳。蛇没有脚，但有长长的身体。蜥蜴是爬行类动物中种类最多的，超过 3000 多种。鳄鱼的个头儿很大，嘴也大，牙齿也很锋利。爬行类动物一般都是卵生动物。与两栖类不同，爬行类动物经过体内受精后把卵产到陆地上。卵壳很有韧性，软软的。鸟类需要鸟妈妈孵卵，幼鸟才会破壳而出；爬行类动物不同，它们不需要孵化，自己就能从卵中爬出来。两栖类动物幼年和成年长得并不一样，而爬行类动物出蛋壳的时候就跟爸爸妈妈长得一样了。

被毒蛇咬了

被毒蛇咬伤以后，需要尽快赶到医院注射抗毒血清。

虽然很多蛇无毒，但有些蛇是有毒的，比如蝰（kuí）蛇。它们的头是三角形的，有锋利的毒牙。毒蛇不会主动攻击人，但是被招惹的话它们一定会咬回去。去草丛或溪谷的时候，最好穿上高帮的登山鞋或高筒靴。经过草丛的时候最好用长棍先探探路，预留出躲避蛇的时间。在草丛里奔跑有可能会踩到蛇，所以这是一件十分危险的事。为了不惊动草丛间活动的蛇和其他生物，我们需要静静地走过去。秋天，捡果子和掉下来的果实的时候，最好用长夹。因为直接用手去抓的话，有可能会惊扰到蛇。秋天，蛇的毒性会增强，所以更要小心。被毒蛇咬到很可能危及生命，所以被蛇咬到以后，要马上去医院注射抗毒血清。

在茂盛的草丛里不能乱跑乱跳。　　　　不直接用手抓石缝间或草丛里的东西。

去草丛或山上的时候要穿长裤和高筒靴。　　当蛇出现的时候，要悄悄避开，切不可去招惹它。

爬行纲　　　龟鳖目　　　鳖科

鳖　生活在河流和水库里。与龟不同，它们的背甲上覆盖着一层柔软的外膜。身体缩回去的时候头部会缩到鳖壳里，但四肢和尾巴会露在外面。虽然没有牙齿，但下颚很有力，咬住了东西就不会松口。白天睡在河底，晚上出来捕食鱼和田螺等小型动物。阳光充足的时候，白天也会到沙滩或石头上，使劲儿伸长脖子晒太阳。　🐢 20~25厘米

鳖 Amur Soft-shelled Turtle

乌龟 Reeve's Turtle
濒临灭绝

巴西红耳龟 Pond Slider

龟科

乌龟　生活在河流和田里。龟背深褐色，脖子上有黄色斑纹，雄性成年后全身会变成黑色，所以名叫"乌龟"。潜在田地或河流的淤泥里，以死鱼死虾为食。性情温顺，胆子小，受到惊吓后会把头、四肢和尾巴都缩到龟壳里。冬天会把自己埋到淤泥里冬眠。温暖的冬日，也会爬到石头上晒太阳。

🐢 15~25厘米

巴西红耳龟可以把自己的全身都缩
到龟壳里。

巴西红耳龟　荷花池和河流里很常见。脑袋两边有红色斑纹，看起来像两只耳朵一样，所以叫"红耳龟"。背甲是深绿色的，腹甲黄色，有黑色斑纹。感觉到有危险的时候，会把全身蜷缩到龟壳里。原产于美国密西西比河，现在中国淡水水系中过量的巴西红耳龟对生态平衡破坏性很大。

🐢 雄性 23 厘米，雌性 28 厘米

大象龟 原产于南美洲科隆群岛的陆地龟，是龟类中体形最大、寿命最长的。体重可以达到 500 千克，寿命可长至 200 岁左右。背甲和腹甲都很厚很硬。头部像老树皮一样凹凸不平。可以连续几个月不吃不喝，而有水喝的时候就会喝很多水。

🐢 100~150 厘米　🆖 200~500 千克

绿蠵龟的繁殖

龟妈妈在海边沙滩里挖洞。

产卵以后重新用沙子将卵埋起来。一次可以产 100~200 枚卵。

50~60 天以后，幼龟就会破壳而出。

幼龟出壳以后会马上爬向大海。

大象龟 Galapagos Tortoise
濒临灭绝

绿蠵龟 Green Sea Turtle
濒临灭绝

海龟科

绿蠵（xī）龟 生活在热带和亚热带的温暖海域。背甲坚硬，头和四肢上都覆盖着大块的鳞片。跟陆地上生活的龟不同，四肢像桨一样宽。以海藻和水母为食。到了产卵的季节，它们会游上数千千米，回到自己出生的地方，在那里的沙滩上产卵。个头儿很大的绿蠵龟体重可以超过 300 千克。

🐢 100~120 厘米　🆖 100~300 千克

湾鳄　主要分布在澳洲北部至东南亚沿海。全身有坚硬的鳞片，尾巴很长，后肢上有蹼。嘴很大，牙齿很尖，眼珠子突起。通常张大嘴在水边趴着，或把整个身体潜在水里，只有眼睛和鼻孔露出水面。猎物接近的时候，就会忽然跃起，用大嘴将其咬住，拖入水中。在水里的时候，会关闭耳洞和鼻孔，用透明的膜遮住眼睛。　✄ 4.1~5.5 米

湾鳄 Saltwater Crocodile

湾鳄：嘴巴合上的时候，可以看见下排的牙齿。

凯门鳄：体形比其他鳄鱼小。生活在中南美洲。

短吻鳄：嘴合上的时候，看不见下排的牙齿。

印度鳄：嘴较窄，但很长。生活在印度北部。

有鳞目　　鬣蜥科

绿鬣蜥　原产于中南美洲的热带丛林。幼时全身绿色，随着年龄的增长，身上浅黄色、棕褐色的地方会变得越来越多。尾巴比躯干长很多。背上竖着尖尖的鳞片，喉下长有喉扇。雄性在遇到危险时喉扇就会展开，长长的尾巴会像鞭子一样挥来挥去。被敌人抓住尾巴的话，尾巴会自行断掉，然后逃走。在地上是跑步高手，在水里是游泳健将。　　1.5~2米

绿鬣蜥 Green Iguana

避役 Chameleon

避役科　　**避役**　生活在地中海沿岸、阿拉伯半岛和南非等地。转动着眼珠子，在树枝上慢慢地爬行。一般不会到地上来。尾巴可以缠绕在树枝上，爪子可以像夹子一样，牢牢地抓住树枝。舌头很长，像弹簧一样弹出去捕食昆虫和小型动物。身上的颜色可以变得灰突突的，有时还会装死。也叫作"变色龙"。性情很温顺，也会被人养在家里当宠物。　　20~30厘米

南草蜥　生活在山麓或被弃的耕地里。全身枯叶色，肋下有黑色斑纹。鳞片很粗糙。在鼓鼓的干草堆上爬得最快，也擅长爬树。以蚂蚁和昆虫为食。被敌人抓住的话，会自行断掉尾巴，然后逃走。　　🐜 17~19厘米

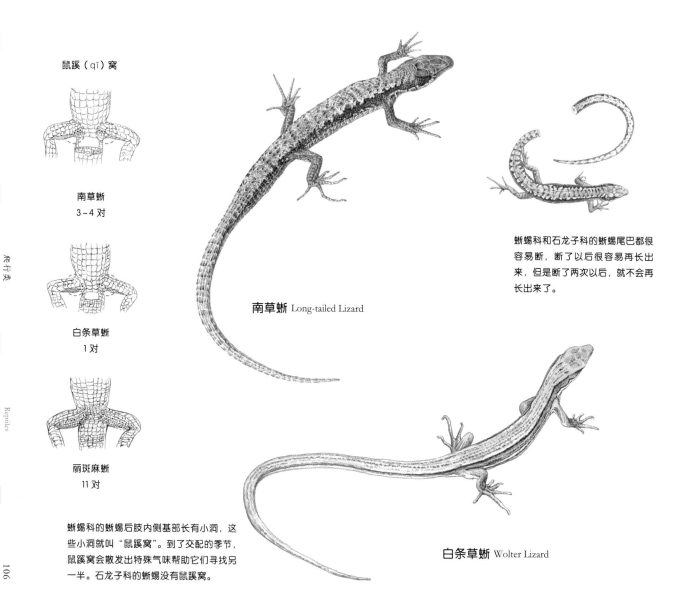

鼠蹊（qī）窝

南草蜥
3~4 对

白条草蜥
1 对

丽斑麻蜥
11 对

蜥蜴科的蜥蜴后肢内侧基部长有小洞，这些小洞就叫"鼠蹊窝"。到了交配的季节，鼠蹊窝会散发出特殊气味帮助它们寻找另一半。石龙子科的蜥蜴没有鼠蹊窝。

南草蜥 Long-tailed Lizard

蜥蜴科和石龙子科的蜥蜴尾巴都很容易断，断了以后很容易再长出来，但是断了两次以后，就不会再长出来了。

白条草蜥 Wolter Lizard

白条草蜥　跟南草蜥很像，但它的腹部边上有一条长长的白色斑纹。生活在路边草丛、田埂和坟边，以小虫子为食，擅长爬树。体温下降的时候就会爬到石头上晒太阳。到了冬天，会爬进石头缝或钻到土里冬眠。　　🐜 15~20厘米

丽斑麻蜥 在中国北方的山野和荒原上很常见。身上的图案和豹纹相似。喜欢正午的时候出来晒太阳，雨天的时候很少出来活动。它们会把自己的身体埋在泥沙中，只把头露出来，有虫子经过的时候，就把它们吃掉。敌人出现的时候，会迅速地逃回到沙子里。在沙土里产卵。天气转冷的时候，会早早地进到沙子里冬眠。 ✄ 15~20厘米

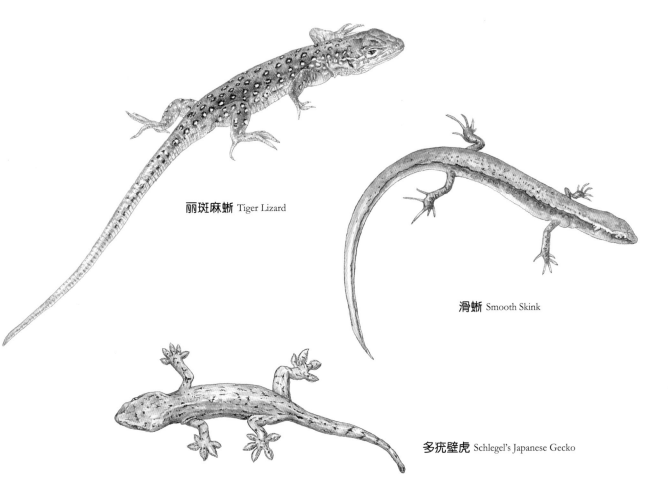

丽斑麻蜥 Tiger Lizard

滑蜥 Smooth Skink

多疣壁虎 Schlegel's Japanese Gecko

石龙子科   **滑蜥** 常在草丛间活动，也会藏在石头下面。体表很光滑。 ✄ 10~15厘米

壁虎科   **多疣（yóu）壁虎** 在中国主要见于东部地区。在光滑的玻璃窗上也能行动自如。可以只用一个脚趾头就粘在天花板上，这是因为脚底有很多极细的毛，可以让它们的脚像吸盘一样牢牢贴附在天花板上。白天的时候，会待在阴暗的屋檐下或石头缝里。晚上在墙上爬来爬去捕食蛾子。被敌人抓到尾巴的时候，会马上自行断尾。 ✄ 8~10厘米

虎斑颈槽蛇　生活在农田或草丛里，俗称"野鸡脖子"。全身绿色，有红色和黑色斑纹，看起来花花绿绿的。生活在水边，通常捕食青蛙，也会游到水里捕食鱼类。有毒牙，毒腺中含有毒液。被虎斑颈槽蛇咬了后伤口很深的话会有生命危险。性格温顺，但生气的时候，会跟眼镜蛇一样，将身体前段竖起，以示警告。　　⌒ 50~120 厘米

虎斑颈槽蛇 Tiger Keelback

红点锦蛇 Frog-eating Rat Snake

红点锦蛇　田里很多。俗称"水蛇"。全身土褐色。头上有"八"字形斑纹。在水稻下种前后，晚于青蛙从冬眠中醒来。在稻田里游来游去，以青蛙和泥鳅为食。吃饱了以后就会卷起身体在田埂上晒太阳，热了又重新回到水里，只把头露出水面。没有毒性。　　⌒ 50~70 厘米

白条锦蛇 生活在山麓或田野上。跟灰鼠蛇一样又粗又长。头上有三条黑褐色斑纹，尾巴细长。爱吃青蛙，还会上树偷鸟蛋或捕食小鸟。天气变冷后，就会在温暖的石头下或石壁里冬眠。在仲夏时节产卵，会孵卵。没有毒性。

〓 90~100 厘米

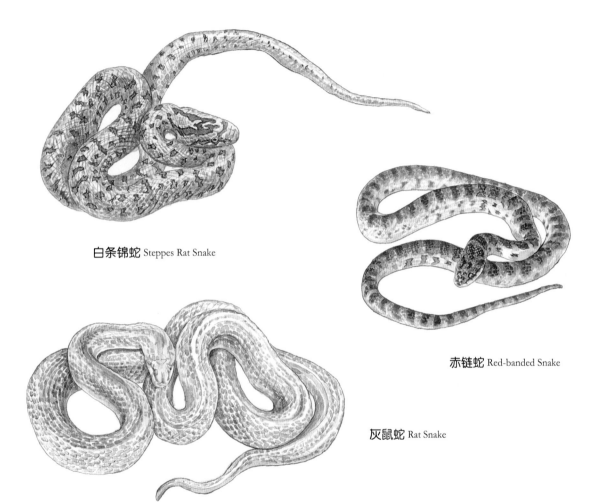

白条锦蛇 Steppes Rat Snake

赤链蛇 Red-banded Snake

灰鼠蛇 Rat Snake

赤链蛇 在田野和村庄里都能见到。体背为黑褐色，有数十条红色横纹。没有毒牙，即使被它们咬到也不会有伤口。白天会藏起来，晚上才出来活动。行动缓慢，时常在过马路的时候被车压死。赤链蛇会捕食癞蛤蟆，而一般蛇都不会吃癞蛤蟆。赤链蛇还会吃其他的蛇。 〓 90~100 厘米

灰鼠蛇 体长可达两米，刚从卵里孵出来的小蛇也有 30~40 厘米长。生活在住宅附近，捕食家鼠和麻雀。没有毒性。

〓 1.5~2 米

爬行纲　　　有鳞目　　　蟒蛇科

蝰蛇　和短尾蝮很像，体形比短尾蝮小。背上有淡褐色的围成椭圆形的环状斑纹，眼睛往后有一条明显的白色细纹。跟其他毒蛇一样，头是三角形的。生气的时候，会竖起尾巴不停地抖动或拍打。太阳下山以后，就会出来捕食田鼠或青蛙。会先用毒牙咬猎物，等它们晕过去以后，就把它们整个吞进去。
〰 50~60 厘米

蝰蛇 Viper

乌苏里蝮 Red-tongue Pit-viper

短尾蝮 Short-tailed Viper Snake

乌苏里蝮　生活在杂草和灌丛中，俗称"草上飞"。头是三角形的，张大嘴会露出锋利的毒牙，红色的舌头伸来伸去。在溪谷附近捕食林蛙或田鼠。乌苏里蝮的毒性很强，刚出生的小蛇就有毒性，碰到它们千万不要轻举妄动。　〰 50~60 厘米

短尾蝮　在中国主要分布在长江中下游地区。头是三角形的，身体很粗，背部有黑褐色的圆形斑纹，圆斑中间颜色比边缘略淡。有毒性，会捕食鼠类、鱼类、蜥蜴和其他的蛇。不产卵，在夏天直接生小蛇。　〰 60~80 厘米

眼镜蛇科

眼镜王蛇　主要分布在印度和东南亚地区，在中国的华南、西南地区也有分布。是毒蛇中体形最大的。视力极好，头部能够灵活转动，可以看到百米开外活动的物体。最常吃其他蛇类，也吃田鼠和小动物。排毒量很大，是很危险的蛇类，但不会主动攻击人。察觉危险的时候，会把脖子伸展开，然后立起来，朝着对方嘶叫。用落叶和枯枝建巢穴，公蛇和母蛇会一起照看蛇卵。　〜 3~5米　🔢 9千克

眼镜王蛇 King Cobra

水蚺 Anaconda

蚺（rán）科

水蚺　主要分布在南美洲热带地区的水域。世界上体形最大的蛇。体色为橄榄色或暗黄色，并布有黑色的斑纹。身上的鳞片很小很光滑。捕食猎物时会先静静地潜在水里，当猎物出现的时候，就一下子用身体紧紧缠住猎物并拖入水中，再把猎物整个吞下去。水蚺甚至能吞下鳄鱼和野牛。不产卵，直接生小蛇。没有毒性。　〜 6~10米　🔢 200千克

两栖类

水陆两栖的动物

"两栖"就是生活在两种环境里的意思。比如青蛙，小时候是生活在水里的蝌蚪，靠鳃呼吸，长大以后，还可以到陆地上来生活，靠肺和皮肤呼吸。

两栖类动物没有鳞片，体表湿润。体表干燥以后就没办法存活，所以它们需要生活在水边，以保持皮肤湿润。它们的体温会随着气温的变化而变化，温度过低的话也没办法生存，所以在沙漠、北极和南极见不到两栖类动物。地球上的两栖类动物有6000多种，其中大部分生活在热带雨林里。有些两栖类动物也生活在温带地区，到了冬天，它们就会到水里或地里冬眠。

两栖类动物概况

中国的两栖类动物有400多种。大部分都是在春天从冬眠中苏醒，雌性在淡水中产下未受精的卵，卵在水中完成受精。两栖类动物在完成繁殖后就会生活在陆地上阴凉潮湿的地方。到了秋天，会到水里或土里开始冬眠。幼体刚破卵而出时还是生活在水中的，等长大以后，就可以像妈妈一样到岸上生活。两栖类可分为蚓螈型、鲵螈型和蛙蟾型。前两种类型的两栖动物刚孵出来时的外形和长大以后差别并不大，但蛙蟾型，比如青蛙，小时候和长大以后的外形完全不同。蝌蚪没有四肢，有一个长长的尾巴，长成青蛙以后，就有了四条腿，尾巴消失。

陷入危机的两栖类动物

两栖类动物因为没有鳞片或毛，受环境影响较大。外界温度、湿度的改变和环境污染会马上影响到两栖类动物的生存。其种群数目在一到两年内可以有接近数十倍的起伏。春天，干旱严重到溪水干涸的时候，青蛙就死了；倒春寒很冷的时候，卵也会被冻死；在特别冷的冬天，冬眠的青蛙可能会被冻死在洞里，这样一来，第二年就只有一部分青蛙能够苏醒。

现在，对两栖类动物数量影响最大的因素是环境污染和气候变化。目前，世界上约一半的两栖类动物濒临灭绝。中国的两栖类动物也在减少。因为横穿在山和田野上的马路，年幼的青蛙经常被车碾死；田野里出现的公寓，让两栖类动物失去了产卵的小水塘。也有很多两栖类动物因为农药和不明霉菌而送命。

两栖类动物的种群数量变化诉说着地球环境的改变。两栖类动物捕食昆虫或小虫子，同时又是爬行类、鸟类和哺乳类动物的食物，它们是食物链的重要一环，是维持生态平衡的重要成员。人类需要保护两栖类动物，让它们脱离危机。

黑斑蛙的一生

❶ 插秧时节，雄蛙的声囊开始变大，发出响亮的声音。

❷ 雌蛙驮着雄蛙爬到稻田的浅水中，进行产卵和受精。

❸ 雌蛙可以产上千枚卵。卵的外面包裹着一层软软的胶质膜。

❹ 约一周以后，卵就变成小蝌蚪了。

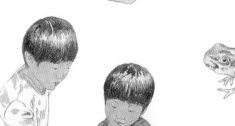

❺ 蝌蚪先长出后肢，再长出前肢。

❻ 长出四肢后，就可以在陆地上行走了。尾巴会越来越短。

❼ 尾巴不见了。在水边草丛里捕食。

両栖纲　　　　有尾目　　　　小鲵(ní)科　　**东北小鲵**　生活在阴暗潮湿的水洼边或石缝里。尾巴很长，体表湿润。有11～13根肋骨。白天藏在潮湿的地方，晚上捕食小虫。扭动长长的身体慢慢向前爬行。与青蛙不同，不会鸣叫。　✄ 8～13厘米

东北小鲵 Korean Salamander

爪鲵 Korean Clawed Salamander

爪鲵　生活在深山阴凉的溪谷里。尾巴占了身体的一半。雄性体背黄色，有褐色斑纹。到了交配的季节，雄性的后肢会变得宽大，像蹼一样。夏初，雌性会把卵鞘袋产在水草或被水淹没的岩石上，每条鞘袋内有十几枚卵。幼崽的鳃在体外，爪子是黑色的。　✄ 13～22厘米

无尾目　　铃蟾科

察觉有危险的时候，东方铃蟾会把四肢翻起，露出红色的肚皮。

东方铃蟾　夏初，为了交配，东方铃蟾会聚集在山谷清澈的水沟里。背部是深绿色，有黑色斑块，有凹凸不平的突起。肚皮深红色，有黑色斑纹。生气的时候会喷出白色黏液。用摸完东方铃蟾的手直接摸眼睛的话，眼睛会有灼烧感。

🐾 4~5 厘米

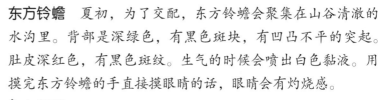

东方铃蟾 Oriental Firebelly Toad

中华蟾蜍 Asian Toad

东北雨蛙
Far Eastern Treefrog

蟾蜍科　　**中华蟾蜍**　生活在农田或农家附近。白天躲在石头下面或草丛里休息，太阳下山以后再慢吞吞地爬出来。身上有凹凸不平的突起。察觉有危险的时候，这些突起就会喷射出毒液。

🐾 雄性 7~8 厘米，雌性 10~12 厘米

树蟾科　　**东北雨蛙**　只有成年人的大拇指指甲那么大。背部是草绿色的，腹部白色。脚趾头的末端有圆圆的吸盘，走到哪里都可以吸住。早春或秋天的时候，身体的颜色和土接近。以树叶或草叶上的小虫子为食。插秧期快结束的时候，东北雨蛙进入了繁殖期，会聚集到田里，不断发出嘈杂的"咯咯"声，直到天亮。　🐾 2.5~4 厘米

两栖纲　　　　无尾目　　　　姬蛙科

北方狭口蛙　常在水沟、沼泽中越冬，梅雨季节水沟里蓄满了水，它们就上岸交配。肚子和包子一样鼓鼓的，腿较纤细。身上的颜色很接近土色，有黑色斑纹。当北狭口蛙藏在水草里，听到"姆阿姆阿"的蛙叫声，它们就会回应"咕阿咕阿"。只要人类一接近，它们就会停止鸣叫。　▲4.5厘米

北方狭口蛙
Manchurian Narrowmouth Toad

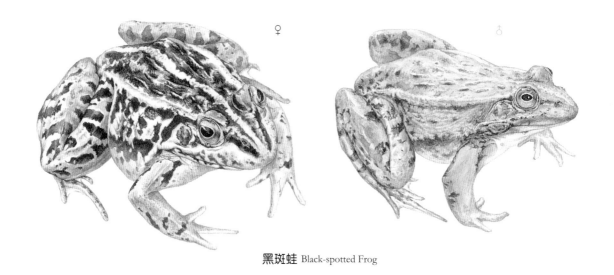

黑斑蛙 Black-spotted Frog

蛙科　　　　**黑斑蛙**　生活在稻田或池塘中。只要一有动静，黑斑蛙就会扑通一声跳回水里。背部是草绿色或土色，有黑色斑纹，正中间有清晰的纵条纹。后腿比前腿长得多，脚趾间有蹼。雄性鸣叫时，咽喉两侧的外声囊会像气球一样膨胀。　▲6~9厘米

东北林蛙　早春，在冰凉清澈的溪水里比较常见。体背呈枯叶色，眼睛后面有明显的黑褐色斑纹。叫声明亮，像鸟叫一样。它们会把卵产在早春又凉又清澈的水里，卵和卵会互相黏合，聚成一堆。　📐 4.5~7.5 厘米

东北林蛙
Dybowski's Brown Frog

牛蛙 Bull Frog

牛蛙　生活在水库或莲池里。体形较大，体重可以达到1千克。"鸣欧鸣欧"的叫声跟黄牛很像。鱼、田鼠、蛇，只要进得了牛蛙的嘴，都会变成它们的食物。原产于美国，现在中国也有很多。　📐12~20厘米　🏋200~500克

鱼类

背鳍

侧线

尾鳍

鳃盖

胸鳍

臀鳍

腹鳍

水中生活的鱼

鱼类在脊椎动物中为数众多。全世界的鱼类约有 25000 种，比两栖类、爬行类、鸟类和哺乳类的种类总和还多。它们在 4 亿 5 千万年前开始出现在地球上，生活在淡水和海水中，进化至今。无论冰封的南北两极，还是横跨赤道的海域，都有鱼类生活。它们的大小和形态各异，有手指大小的凤尾鱼，也有长达 20 米的鲸鲨。

鱼类的多种正面形态

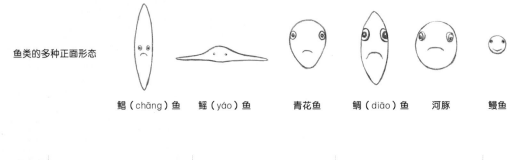

鲳（chāng）鱼　鳐（yáo）鱼　青花鱼　鲷（diāo）鱼　河豚　鳗鱼

头部

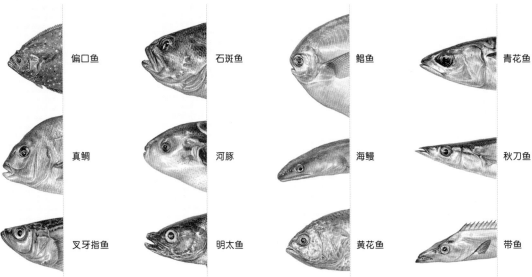

偏口鱼　石斑鱼　鲳鱼　青花鱼

真鲷　河豚　海鳗　秋刀鱼

叉牙指鱼　明太鱼　黄花鱼　带鱼

鱼类的身体

鱼鳍 鱼类与其他脊椎动物不同，它们的身上长有鱼鳍。依靠鱼鳍，它们既能游来游去，也能使身体浮在水中某个地方。飞鱼能够展开鱼鳍飞一般地在水上滑翔，而弹涂鱼则能在海滩上扑棱扑棱地跳来跳去。

鳃 鱼类用鳃呼吸。水对于它们来说，就好比空气对于人类一样重要，不同的是人类呼吸时是将空气吸入肺部，而鱼类则是让水经过鳃部进行呼吸。当水流经鳃部时，溶解在水中的氧气就能被鱼吸收。鱼鳃位于鱼的咽喉两侧，上面有鳃盖。

鱼鳞 多数鱼类体表覆盖着鱼鳞。鱼鳞就像动物的毛发或鸟类的羽毛一样对鱼体起保护作用。鱼鳞的种类多种多样，鲫鱼或黄花鱼的鱼鳞薄而光滑，鳞片像瓦片一样整整齐齐地排列在鱼体上；鲨鱼的鳞片粗糙，摸上去像砂纸一样；有些鱼类没有鳞片，体表非常光滑。

侧线 通常鱼类的身体两侧各有一条侧线。侧线上长有比针眼还小的孔，这些孔连成一线，一直延伸到鱼尾。侧线是鱼类非常高级的感觉器官，它能感知水的深浅、温凉，还能探测有无敌人靠近或附近有无大块岩石。

尾鳍

偏口鱼　石斑鱼　鲳鱼　青花鱼

真鲷　河豚　海鳗　秋刀鱼

叉牙指鱼　明太鱼　黄花鱼　带鱼

背鳍

河豚　鲨鱼　黄花鱼

软骨鱼类和硬骨鱼类

鲨鱼或鳐鱼的骨骼是由软骨形成的，因此它们常被称为软骨鱼类。软骨鱼类多数生活在海洋中，以捕食其他鱼类为生。它们的牙齿锋利，即使脱落也可以再生。有些体表长满盾状的鳞片，质地粗糙；有些没有鳞片。软骨鱼类没有鱼鳔，依靠肝脏里存储的大量不饱和脂肪酸来调节自身的浮力。有些幼鱼像哺乳动物一样，在母体中发育一段时间后产出，有些是卵在母体中直接孵化，还有些则是卵被产在水中再孵化。硬骨鱼类在脊椎动物中数量最多，其骨骼轻而坚硬，比软骨鱼类更擅长游泳。它们时而随意后退，时而静静地浮在一个地方。硬骨鱼类身体里的鱼鳔就像一个气囊，它们通过鱼鳔中空气的填充和排出来调节浮力。硬骨鱼类多数是雌鱼产下未受精的卵，然后雄鱼游近鱼卵，产出精子，使鱼卵受精。

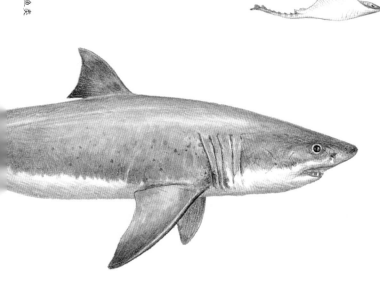

鱼类

分布概况

海水鱼　中国有着绵长的海岸线，共有四大海域：渤海、黄海、东海和南海。其中渤海是内海，黄海、东海和南海是北太平洋西部的边缘海。海洋中鱼类资源丰富，有3000多种鱼。不同的季节，各个海域出现的鱼类也略有差异，这是由海水的水流、水温和海底地形造成的。

渤海三面环陆，是中国的内海。辽河、海河、黄河等河流入渤海时，带来大量天然饵料，这里盛产对虾、蟹和黄花鱼。

黄海位于中国与朝鲜半岛之间，北面和西面濒临中国，东临朝鲜半岛。这里寒暖流交汇，多港湾岛屿，有着丰富的鱼类资源，盛产小黄鱼、带鱼、鲱鱼等。

东海位于黄海的南面，我国最大的渔场舟山渔场就位于东海，这里盛产大黄鱼、小黄鱼、带鱼、墨鱼等。

南海位于中国大陆的南方，是中国最深、最大的海。南海热带和亚热带水域常年高温多雨，使得南海成为中国乃至世界上海洋鱼类生物多样性最丰富的海区之一。这里盛产金枪鱼、红鱼、梭子鱼、墨鱼等。

海域的环境正发生着巨大变化。大艘船只和海上油田的石油泄漏，塑料垃圾的堆积，再加上沙滩越来越少，一些入海的大河被筑坝拦截，核电站陆续修建起来，可以说，目前海洋鱼类赖以生存的环境正日趋恶化，并且随着地球的变暖，水温升高，鱼类的分布也在发生变化。

淡水鱼　中国幅员辽阔，除了长江、黄河，还有许许多多大大小小的河流。水从深山涌泉中汩汩流出，流过山谷，形成小溪，流经平原田野，汇成河流，最终流向大海。生活在中国的淡水鱼类有800多种。由于水质污染等原因，有很多淡水鱼类濒临灭绝危机，这是因为淡水鱼和海水鱼不同，它们分布的范围较为狭窄，从而对环境的变化非常敏感。

皱唇鲨　在中国分布在东海、黄海和渤海海域。背部有约 10 条深褐色横纹，还分布着黑色的斑点。因背部形似竹节，也叫作"竹鲨"。皱唇鲨身体细长，宽宽的嘴巴裂成弧形。它们常独自在泥滩或海草茂盛的地方游荡，寻找章鱼或螃蟹等猎物。因其性情温和，水族馆中多有养殖。　🐟 1~1.5 米　kg 20 千克

皱唇鲨
Banded Houndshark

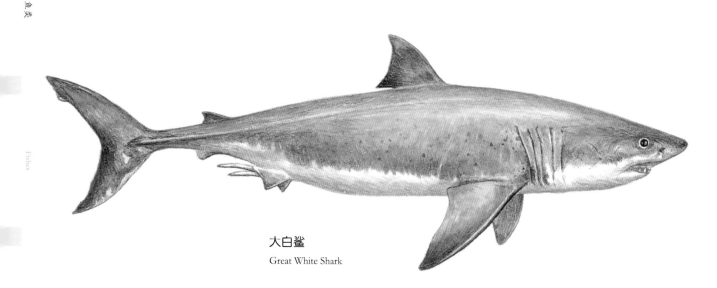

大白鲨
Great White Shark

鼠鲨目　　　鼠鲨科

大白鲨　体形最大的食肉鱼类，非常凶猛。背部灰色，腹部白色，皮肤糙如砂纸，牙齿呈三角形，像锯齿一样锋利，有 5 个鳃孔，鼻子非常灵敏，甚至能闻到一千米以外的血腥味。有时会将遇见的捡拾贝壳的潜水员或渔民当成猎物进行攻击。　🐟 6.5 米　kg 1 吨

鳐目　　　鳐科　　　**斑鳐**　在中国主要分布在东海和南海海域。伸展开鱼鳍后，就好似振翅的蝴蝶般在水中翩翩起舞，游来游去。身体呈菱形，扁平，背部浅褐色，两侧胸鳍的部位各有一个圆形的深褐色斑点，眼睛突出，嘴巴位于腹面。喜欢隐藏在海中的泥沙里。　🐟 1.5米　kg 50千克

斑鳐 Ocellate Spot Skate

鳐鱼的腹面

中华鲟 Chinese Sturgeon
濒临灭绝

硬骨鱼纲　　　鲟形目　　　鲟科　　　**中华鲟**　数量稀少，有"水中大熊猫"之称。靠捕食河床上生活的小虫或幼鱼为生。长得很像鲨鱼，但不是软骨鱼类，而属硬骨鱼类。身体上整齐地排列着5列坚硬的鳞片，银光闪闪。撅起的嘴巴下面伸出4根胡须。鲟鱼的卵被称为"鱼子酱"。　🐟 1米

蠕纹裸胸鳝　生活在海里的岩石缝中。身体像鳗鱼一样扁长，有花斑，体表无鳞，但外皮像皮革一样坚硬。蠕纹裸胸鳝可以用尖利的牙齿将螃蟹连壳嚼碎，有时候会凶猛地和章鱼撕咬。平时在岩石缝中张着嘴巴一动不动，一旦有猎物经过，就会忽然伸出嘴巴将其咬住。如果潜水员不小心撞上，也会被撕咬。它们的牙齿甚至能咬到人的骨头里面，有时还会引起人全身麻醉。　🐟 60~100 厘米

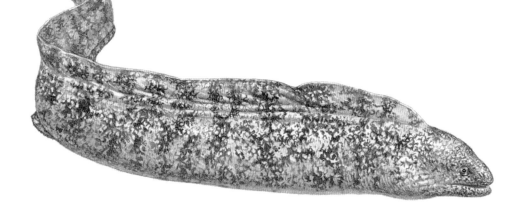

蠕纹裸胸鳝 Kidako Moray

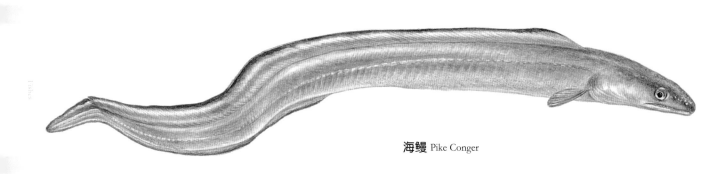

海鳗 Pike Conger

白天藏在沙子中。

海鳗　在中国各个海域都有分布。身体像蛇一样细长，体表无鳞，牙齿大而锋利，在陆地上会将头高高翘起，作咬人状。如果有人不小心被海鳗咬到，伤势会很严重。白天藏在海里的岩石缝中或泥沙中，晚上出来觅食。靠捕食比自己小的虾蟹和鱼类为生。　🐟 1.5~2 米

鲱形目　　鳀 (tí) 科　　**鳀鱼**　在中国主要分布在渤海、黄海和东海海域。成鱼很少有超过 10 厘米的。下颌比上颌短，嘴巴裂开较深，一直延伸到眼睛后面。鱼鳞银光闪烁，很薄且易脱落。鳀鱼干是将新鲜的鳀鱼放在开水中烫过之后，在阳光下晒干制成的。

🐟 10 厘米

鳀鱼 Japanese Anchovy

青鳞鱼 Scaled Sardine

鲱鱼 Pacific Herring

鲱科　　**青鳞鱼**　在中国各个海域都有分布。身体扁平，就像从两边往中间挤压过似的，背侧为青绿色，背上排列着薄薄的鳞片，腹部边缘有锯齿状的坚硬的鳞。　🐟 15 厘米

鲱鱼　在中国分布在黄海海域。背侧为深蓝色，腹部银白色，鱼鳞呈圆形易脱落，大部分都没有侧线。鲱鱼在繁殖期会聚成密集的鱼群，向海岸附近游去，场面十分壮观。　🐟 46 厘米

鳑鲏　生活在水草茂盛的湖泊或溪流中。身体扁平，嘴巴很小，通常有一对胡须。雌鱼将长长的产卵管插入河蚌体内产卵，卵受精后会在河蚌的鳃腔内孵化。

🐟 5~9厘米

鳑鲏 Slender Bitterling

鲫鱼 Crucian

养殖的鲫鱼

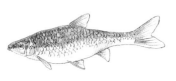

野生鲫鱼

鲫鱼　生活在水库、湖泊或河流中。没有胡须，背部隆起。养殖的鲫鱼身体较宽，背部为银色，野生鲫鱼体形较小，背部一般为金黄色，很有光泽。有时叼食水草，有时翻拱泥滩捕食水丝蚓等荤饵。4月份左右，会在水草茂盛的地方跳跃、交尾，雌鱼会产下数万枚卵，附着在周围的水草上。

🐟 10~30厘米

鲤鱼 生活在水库、湖泊或河流中。背侧线条比鲫鱼的更平缓，嘴唇略鼓，有两对胡须，鱼鳍呈红色或黄色。既吃水草，也靠嘴巴翻拱泥滩捕食水丝蚓等为生。冬季会钻到深水下，进入半休眠状态。有些甚至能长寿至50岁。　50~100厘米

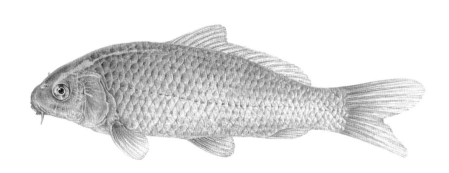

鲤鱼 Common Carp

锦鲤 Fancy Carp

革鲤 Leather Carp

锦鲤 通常被养殖在鱼缸或荷塘中。身体的颜色和斑纹各种各样，十分美丽。在鱼缸中生长缓慢，但在荷塘中却能长得很大，偶尔可见超过1米的锦鲤。

革鲤 通常被养殖在钓场。鱼鳞像补丁一样镶嵌在鱼体上，非常不平整，皮肤外露。在泥滩附近成群游走，啄食贝壳或叼食水草，比鲤鱼生长速度快。　30~60厘米

长吻似鮈钻进沙子里，只露出眼睛，一动不动，很难被发现。

长吻似鮈（jū）　生活在清澈的溪水或江河中。嘴巴较大，有两对胡须，背部略鼓，腹部扁平，身体上有黑色斑点。吃东西时会伸出嘴巴，将沙子一口吞下，然后过滤出食物吃掉，再将沙子通过鳃喷出。喜欢钻进沙子里面，只露出眼睛，一动不动。　🐟 10~20 厘米

长吻似鮈 Goby Minnow

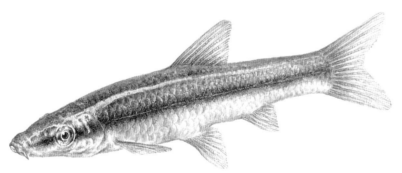

扁吻鮈 Striped Shiner

扁吻鮈　生活在溪谷、沼泽或石头较多的河流浅滩上。身体有黑褐色的纵纹，嘴巴，上唇肥厚，嘴边有一对短须。主要以水中的藻类以及小虫子为食，有时也吃蜗螺，会先在石头上将蜗螺壳磕碎后，再吃螺肉。也叫"猪嘴鱼"。

🐟 10~20 厘米

宽鳍鱲（liè） 生活在溪流中。身体长而扁平。在繁殖期，雄性全身会呈现出异常艳丽的婚姻色，嘴边长出米粒般的小疙瘩，也就是"珠星"。成熟的雄鱼也被称为"红翅子"。雌鱼鱼鳞为银色，有时会跃出水面捕食蜉蝣（fú yóu）虫。

🐟 10~15厘米

♂   ♀

宽鳍鱲 Freshwater Minnow

大鳞副泥鳅
Chinese Muddy Loach

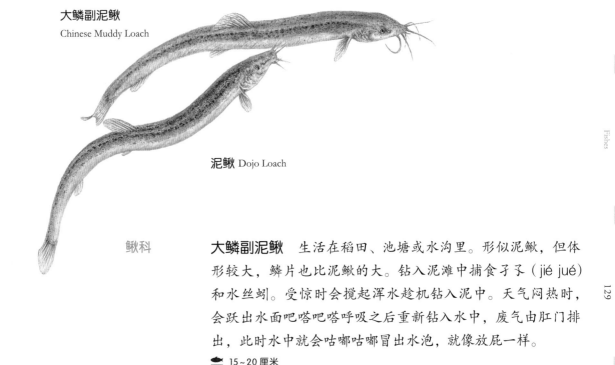

泥鳅 Dojo Loach

鳅科

大鳞副泥鳅 生活在稻田、池塘或水沟里。形似泥鳅，但体形较大，鳞片也比泥鳅的大。钻入泥滩中捕食孑孓（jié jué）和水丝蚓。受惊时会搅起浑水趁机钻入泥中。天气闷热时，会跃出水面吧嗒吧嗒呼吸之后重新钻入水中，废气由肛门排出，此时水中就会咕嘟咕嘟冒出水泡，就像放屁一样。

🐟 15~20厘米

泥鳅 生活在稻田、池塘或水沟里。体表有极细小的鳞片埋于皮下，几乎看不到，全身光滑。胡须比大鳞副泥鳅的短。

🐟 10~20厘米

土鲇　生活在河流或水库的水底。头部上下扁平，体表没有鳞片，很光滑，臀鳍很长，末端连着尾鳍。两眼间距非常宽，嘴巴大，成熟的土鲇有两对胡须。无论鱼还是青蛙，都能成为它们的食物；食物缺乏的时候，甚至吃同类。秋末钻进淤泥中越冬。大的长达 1 米，有些甚至能活 40 多年。

🐟 30~50 厘米

土鲇 Amur Catfish

小背鳍鲇 Slender Catfish

香鱼 Sweetfish

小背鳍鲇　在中国分布在鸭绿江和辽河水域。外形很像土鲇，但体形较小。体背没有鳞片，为金黄色，背鳍很小，有两对胡须。在石底附近游来游去捕食水中的昆虫和小鱼。

🐟 15~25 厘米

胡瓜鱼目　　胡瓜鱼科

香鱼　生活在清澈的河水或溪水中。通体银白色，鱼鳞很细，以附着在岩石上的藻类为食。秋季，游到河流下游，在沙子或砾石下产卵，随后死去。刚刚出生的幼鱼游向大海，第二年春天又洄游至江河或溪流。这种鱼肉质鲜美，有西瓜味。

🐟 15 厘米

鲑形目　　鲑科

大马哈鱼　出生在水温较低的江河中，会游到海洋中去觅食成长，成年后又会重返故乡繁殖后代。身上有椭圆形斑纹，并布满小斑点。靠捕食水中的昆虫和小鱼为生。秋季，雌鱼会在砾石间的洞穴内产卵，还会将受精的卵用砾石覆盖。多数雌鱼在产卵后死去。　🐟 20~30厘米

大马哈鱼 Masou Salmon

明太鱼 Walleye Pollack

鳕形目　　鳕科

明太鱼　生活在北太平洋等水温较低的水域中。身体有斑纹，眼睛很大，下颌较上颌向前突出，尾部细长。

🐟 30~50厘米　🄺🄶 600~800克

硬骨鱼纲　　鮟鱇（ān kāng）目　　鮟鱇科

鮟鱇　头部占据了整个身体的2/3，嘴巴非常大，牙齿像针一样尖锐。体表柔软，两眼之间的背鳍向上延伸成刺状，像钓鱼线似的，会引诱其他鱼类"上钩"，使其成为鮟鱇的猎物。一旦猎物靠近，便将其一口吞下。胃口很大，因此又称"饿鬼"。　🐟 1米

鮟鱇 Blackmouth Angler

秋刀鱼 Pacific Saury

飞鱼 Japanese Flyingfish

颌针鱼目　　竹刀鱼科

秋刀鱼　身体像刀一样修长，嘴巴像鸟喙一样尖细。背部深青色，腹部银白色，下颌比上颌略长。在水中游得飞快，一旦渔船靠近，便向空中跳跃逃走。鱼卵附着在马尾藻之类的海藻上。　🐟 25~40厘米

飞鱼科

飞鱼　游起来像飞一样的鱼类。胸鳍发达，就像鸟的翅膀。发现危险时，便向空中跳起，伸展开胸鳍然后再弯拉下去，能跃出水面十几米。一口气能向前"飞"200多米，有时候会掉落在过往船只的甲板上。　🐟 25~35厘米

刺鱼目　　海龙科

海马是由雄性生育后代。

海马　尽管外形不同于一般鱼类，但海马的确是一种海鱼。其头部很像马的脑袋，身体有很多凹凸不平的突起，眼睛像变色龙的眼睛一样滴溜溜转，身体的颜色也能随周围环境而改变。背鳍像扇子一样扇动，使海马能直立在水中游泳。很多时候会用尾巴缠住海藻待在一个地方。雌海马将卵产在雄海马的育儿袋中，经过两个月左右，小海马就会从雄海马的育儿袋中孵化出来。　🐟 6~11厘米

海马 Crowned Seahorse

叶海龙 Leafy Seadragon

叶海龙　一种生活在澳大利亚西南部海洋中的珍稀鱼类。在中国成都海洋馆中可以见到。浑身长着形似海藻不停摆动的附肢。嘴巴像吸管一样，可以把小虾等吸进肚子里。雄性叶海龙尾部有一个育儿袋，像海马一样是由雄性孵卵。与海马不同的是，它们不能用尾巴缠住海藻，但随着海浪慢慢游动的样子看起来活像一条小龙在飞。　🐟 35~45厘米

黑石鲈　生活在岩石较多的浅海区域，也叫作"小石斑"。背部为深褐色，腹部为灰白色，两侧的鳃盖周围长着像牙齿一样的刺，鱼鳍上的刺也像锥子一样尖锐。夜晚会结成大大小小的鱼群游向浅水区，捕食小鱼。　　➤ 60厘米

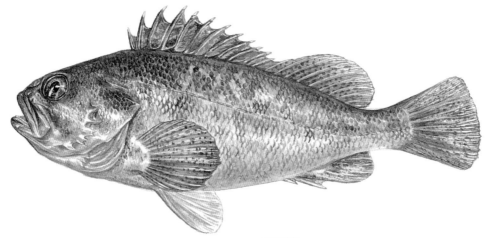

黑石鲈 Black Rockfish

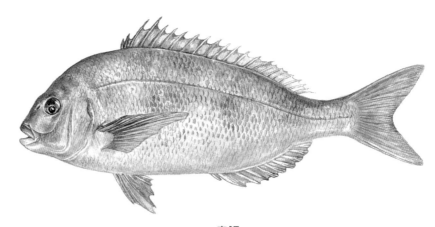

真鲷 Red Sea Bream

鲷科　　　**真鲷**　生活在岩石较多的浅海海域。背部偏红色，有亮晶晶的蓝色斑点，腹部银白色，鱼鳞大而坚硬，鱼鳍上的刺像锥子一样尖锐。牙齿锐利，能将海螺和蚌类连壳咬碎。最长能达1米，通常能活20～30年，有些甚至能活到40岁。　　➤ 1米

石首鱼科　**黄花鱼**　也叫作"黄鱼"。背部灰黑，腹部金黄色，鱼鳍也呈黄色。大黄鱼在繁殖期会像青蛙一样"呱呱"叫，渔民会根据这种叫声来判断鱼群的位置。擅长捕食小虾。用盐水把黄花鱼腌渍晾干可以做成"干黄花鱼"。　🐟 40厘米

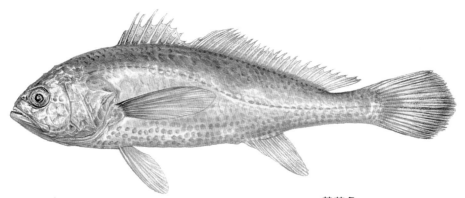

黄花鱼 Yellow Croaker

条石鲷 Striped Beakfish

石鲷科　**条石鲷**　生活在近海的岩石附近。身上有7条黑色的带状斑纹。会将贝类连壳咬碎后，啄食里面的肉。牙齿脱落后能重新长出。这种鱼互相之间靠鱼鳔发出声音传递信息，因此，一旦惊动了其中的一条，其他的便瞬间逃之夭夭。

🐟 30~80厘米

金黄突额隆头鱼　在中国分布在南海海域，常见于海藻较多的岩石周围。前额隆起，像长了一个大包。雄鱼随年龄增长，隆起处会越明显，且下颌底部也会突起。无论鲍鱼、海螺、海胆或螃蟹，它们都能连壳咬碎，并啄食里面的肉。交尾季节，雄鱼张开大嘴，互相撕咬角逐。　　1米

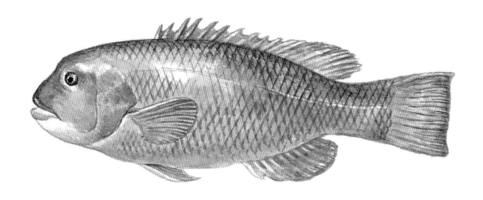

金黄突额隆头鱼 Asian Sheepshead Wrasse

叉牙指鱼 Japanese Sandfish

毛齿鱼科　　　**叉牙指鱼**　主要生活在日本海和北太平洋海域。背部有深褐色斑纹，腹部银光闪闪，体表光滑。夏季，会潜入深海，冬季回到浅海产卵。白天藏在海里的泥沙中，夜间外出觅食。鱼卵附着在马尾藻之类的海藻上。　　26厘米

玉筋鱼科　**玉筋鱼**　喜欢在海域的沙滩附近成群生活，长得很像小的秋刀鱼，背鳍很长。又叫作"银针鱼"或"面条鱼"。冬季，游向近海产卵，酷暑时潜入沙子中进行夏眠。　🐟 15~25厘米

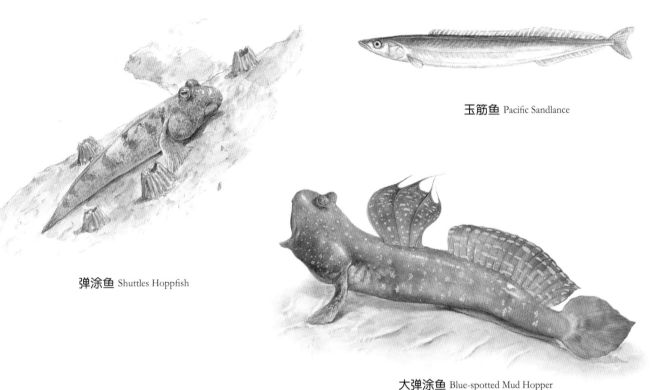

玉筋鱼 Pacific Sandlance

弹涂鱼 Shuttles Hoppfish

大弹涂鱼 Blue-spotted Mud Hopper

虾虎鱼科　**弹涂鱼**　可以长时间不待在水里，擅长攀爬木桩，喜欢在滩涂上爬行或跳跃。背部为灰褐色，上有黑黢黢的深色斑纹，两只眼睛突出，眼间距很近。比大弹涂鱼体形小，不擅长游泳，情急之下会跳出水面逃走。　🐟 10厘米

大弹涂鱼　深褐色的身体上镶嵌着蓝色的斑点，就像星星一样。嘴巴很大，两只眼睛像铜铃一样突出在脑袋上面。用鱼鳍在沙滩上爬行，抠食泥巴，有时会忽然展开背鳍，跳跃而起，然后在滩涂上打滚。冬季会潜入沙滩中冬眠，一直到晚春时候醒来。　🐟 20厘米

硬骨鱼纲　　　鲈形目　　　带鱼科

带鱼 一种形似刀剑的银色的海鱼。头部呈三角形，尾部末端细长如发，牙齿坚硬，下颌比上颌向前突出。晚上游到水面附近捕食。带鱼直立游泳时长长的背鳍快速摆动，远行游泳时身体呈"W"状。　🐟 1.5米

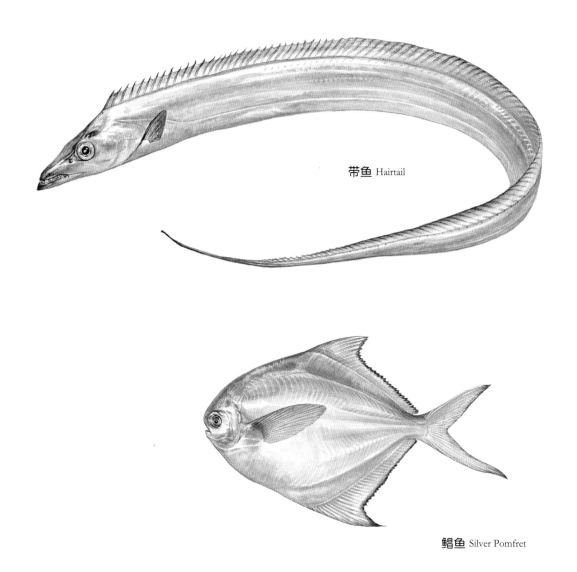

带鱼 Hairtail

鲳鱼 Silver Pomfret

鲳科　　　**鲳鱼** 身体呈菱形，扁平，就像被从两侧挤压过似的。银色的鱼鳞非常细小。头部较小，看上去像是缩着脖子一般。通常在海底温暖的泥滩上捕食小虾。　🐟 18～60厘米

鲭(qīng)科　**青花鱼**　背部为深蓝色，有黑色波浪状斑纹，腹部为银白色。冬季在温暖的太平洋海域成群生活，进入夏季，会游到中国的东海和黄海产卵，秋季开始再次向南游去。有时会尾随凤尾鱼群并对其发起攻击。由于青花鱼喜欢灯光，因此夜间捕鱼的渔船会亮起灯光进行捕捞。　🐟 30~50厘米

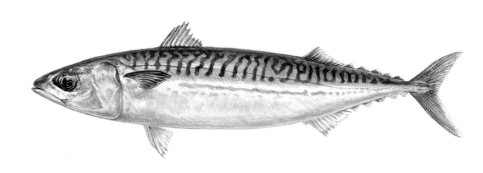

青花鱼 Chub Mackerel

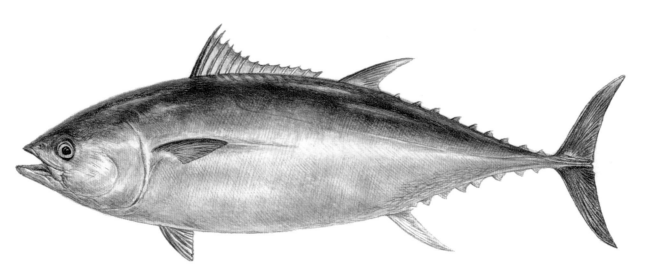

金枪鱼 Bluefin Tuna

金枪鱼　也叫作"吞拿鱼"。身体粗壮坚实，背部为青黑色，腹部为银白色，尾鳍呈半月形。与身体相比，胸鳍很小。大的金枪鱼能长至3米，体重超过600千克。会跟随渔船游向远海海域。　🐟 1~3米　kg 100~600千克

硬骨鱼纲　　鲈形目　　鲭科　　**鲅（bà）鱼**　背部为深蓝色，腹部为银白色，比青花鱼颜色偏灰。身体瘦长，侧线弯曲如水纹。春季会从大洋深处游到中国的东海、黄海和渤海的近岸处产卵。幼鱼出生 6 个月后就能长得如同成人的手臂般粗细。会捕食比自己小的鳀鱼或玉筋鱼。　🐟 100 厘米　**kg** 4.5 千克

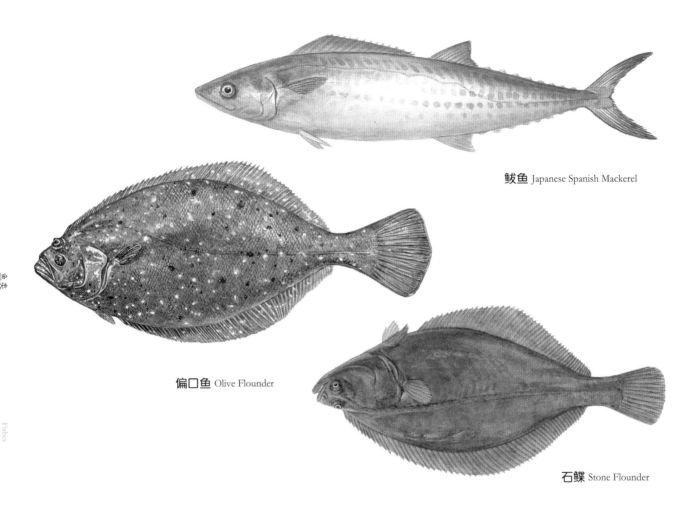

鲅鱼 Japanese Spanish Mackerel

偏口鱼 Olive Flounder

石鲽 Stone Flounder

鲽（dié）形目　鲆（píng）科　　**偏口鱼**　也叫作"比目鱼"。身体扁平，好像被重物从上面压过似的，背部接近沙滩的颜色，腹部为白色。刚孵化出的幼鱼在浅海中长大后游向海底生活，幼鱼的两只眼睛位于头部两侧，随着年龄增长，右边的眼睛慢慢偏移，长至 3 周左右，两只眼睛并排在头的左侧。　🐟 60~80 厘米

鲽科　　**石鲽**　生活在近海的海底。体表没有鳞片，很光滑。背上的突起如石头般坚硬，乍一看像烫出的水泡一样。两只眼睛长在头的右侧。　🐟 50 厘米

绿鳍马面鲀　也叫作"老鼠鱼"。嘴巴小小的，看上去像嘟着似的，露出水面时像老鼠一样发出"吱吱吱"的声音。体表为灰褐色，背鳍上的刺像锥子一样尖锐。一旦发现敌情，背鳍上的刺就会高高竖起，尾鳍立即张开。擅长捕食海蜇。

🐟 35厘米

绿鳍马面鲀 Black Scraper

六斑刺鲀 Longspined Porcupinefish

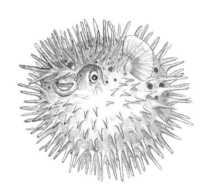

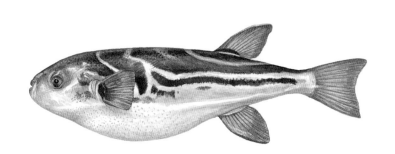

黄鳍东方鲀 Yellowfin Puffer

六斑刺鲀　身体上布满长长的刺，这些刺是鱼鳞退化而成的，可以随意伸曲。遇见敌情，会一下子吸饱水，将身体鼓成圆球状，看上去就像一只刺猬将刺竖起伺机行事。　🐟 10~50厘米

黄鳍东方鲀　也叫作"条纹东方鲀"。背部深青色的皮肤上有着银色条纹，腹部为白色，鱼鳍金黄色，背部和腹部密密麻麻地长着很短的刺。察觉到有危险后，会将肚子鼓起。黄鳍东方鲀肉质鲜美，但因其内脏毒性很强，不可随意食用。

🐟 60厘米

节肢动物

腿部分节的
无脊椎动物

节肢动物身体两侧对称，多足，身体及腿部分节。六条腿的昆虫，八条腿的蜘蛛，十条腿的螃蟹，还有腿非常多的蜈蚣和马陆，这些都属于节肢动物。由于腿部分节，使得节肢动物擅长走、跑、跳、游，动作非常灵活，能很好地适应地球环境而存活下来。节肢动物数量众多，种类多样，约占世界上所有动物的80%。至今为止已经发现的种类有 100 多万种。不仅是陆地上，淡水和海水中均有节肢动物生存。从 5 亿年前的化石中发现的三叶虫也属于节肢动物。

蜘蛛

蜘蛛身体分为头胸部和腹部两部分，有八条腿，没有翅膀，不能飞，大部分生活在陆地上，结网为生。食物一旦被网缠住，蜘蛛就会用毒牙咬住使其昏厥，然后在消化酶的作用下吸食其体内的汁液，但它们不能咀嚼食物。由于蜘蛛以捕食昆虫为生，因此蜘蛛在农田或庭院周围一旦多起来，害虫就会减少。有些蜘蛛有剧毒，甚至能危及人们的生命。全世界的蜘蛛有近40000种，中国有近4000种。

蜈蚣和马陆

蜈蚣和马陆这类动物身体很长且由很多节构成，每个节上都有一对或两对足，因此又称"百足虫"，顾名思义就是这种虫子有很多条腿。它们通常生活在腐烂的枯叶下面或潮湿的地方，白天藏在黑暗的地方，夜间出来觅食。蜈蚣能捕食小虫，马陆则以腐烂的树叶或朽木为食。蜈蚣有毒牙，会咬人，而马陆被人碰触后会卷成圆球形并且一动不动。蜈蚣毒性很大，被其咬伤后，伤口会肿痛。

甲壳类

这类动物外壳像盔甲一样坚硬，包括藤壶、潮虫、虾和螃蟹等。藤壶附着在海中坚硬的物体上度过一生，而潮虫则在地上爬来爬去。由于虾和螃蟹都有十条腿，因此又被称为"十足类"。十条腿中最前面的两条通常被称为"螯"。根据种类的不同，有的甲壳类动物生活在淡水中和陆地上，但更多的生活在海水中。大多数幼虫身体不分节，要经过几次蜕皮以后才会发育得和成虫形态相似。

昆虫

昆虫的数量占据了节肢动物的 90%，占迄今发现的所有动物种类的一半以上。从贫瘠的沙漠到严寒的极地地区，昆虫几乎无处不在，无论海水还是油田，无论南极的冰封之地还是温泉中，都有昆虫的足迹。到 21 世纪初，已知的昆虫有 100 万种左右。而科学家推测，至今还没被发现的昆虫种类要远超过此数目。在中国发现并有记录的昆虫有 80000 多种。

身体　昆虫长着能自由活动的腿和能够飞行的翅膀。无论觅食、求偶或躲避敌害，都得益于这种身体构造。坚硬的外壳使其能很好地在陆地上生活。相比其他动物，昆虫体形较小，因此即便狭小的空间也能成为它们的栖身之处。

昆虫的身体分为头部、胸部和腹部，有 6 条腿，通常有两对翅膀，头部有一对触角和一对复眼，胸部长着腿和翅膀，腹部是内脏所在的部位。

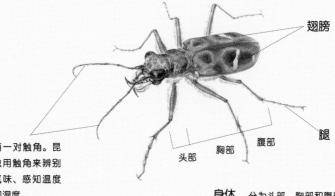

翅膀　有两对翅膀。正是因为有了翅膀，昆虫在觅食或躲避敌害时可以飞得很远，有些昆虫的前翅演变成坚硬的鞘翅。

腿　三对。因为所适应的生活环境不同，每种昆虫的腿的形态也各不相同。

触角　有一对触角。昆虫用触角来辨别气味、感知温度和湿度。

头部　胸部　腹部

身体　分为头部、胸部和腹部。

食物 昆虫的食物真是多种多样。有些昆虫以树叶为食，有些昆虫则捕食其他昆虫，有些昆虫会吸食蜂蜜，还有些昆虫则会吸食人的血液。有些昆虫为了食物和人类进行角逐，甚至有些还会传播疾病。但是地球上盛开的大部分鲜花都需要借助昆虫才能授粉，并且很多昆虫能将动物的尸体和粪便等进行分解。没有昆虫，就没有现在的地球生态系统。

昆虫的一生 雌性昆虫产下受精的卵，幼虫将从卵中孵化出来，通常还要经过蛹的阶段，最后成为成虫。有些昆虫的幼虫在水中长大，成虫则回到陆地上。昆虫一生中需要食物最多的时期是幼虫期。有些昆虫的幼虫形态和成虫的形态完全不同，如蛆虫、蛴螬（qí cáo）和蝴蝶的幼虫。水中生活的水蚕（chài）或孑孓在蜕皮之后，外形也会与以前迥然不同。有些昆虫不经过蛹期，属于不完全变态发育，这种昆虫的幼虫和成虫的形态相似。

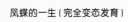
凤蝶的一生（完全变态发育）

 →

↓

 ←

狼蛛　一种生活在水田或河边的蜘蛛。背上长有很多细毛，头胸部有"V"形斑纹，有 8 只眼睛。在水田地的水面上快速地爬行，捕食掉到水里的稻飞虱或其他昆虫。繁殖期间，雌蛛会用蛛丝将卵包裹好，并将这个"卵囊"夹在腹部下面随身带着。狼蛛会在土块间织出七零八落的蜘蛛网。

 雌蛛 6~9 毫米，雄蛛 5~7 毫米

狼蛛
a kind of Wolf Spider

腹部带着卵囊的雌性狼蛛。

横纹金蛛
Wasp Spider

横纹金蛛　一种草地或田间常见的蜘蛛。腹部有虎皮一样的斑纹。织圆形的蛛网，然后倒挂在上面。蛛网上有"|"形白色细带，这会使其他昆虫误以为是蜂蜜而被缠住。一旦有昆虫触碰蛛网，蛛网就会晃动，破损的蛛网可以修补后继续使用。雌蛛比雄蛛体形大很多。　雌蛛 20~25 毫米，雄蛛 8~12 毫米

节肢动物

Invertebrate Arthropods

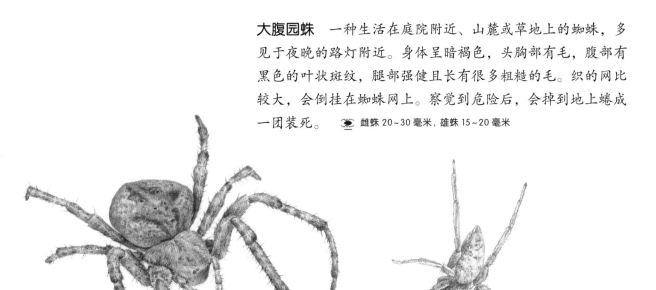

大腹园蛛　一种生活在庭院附近、山麓或草地上的蜘蛛，多见于夜晚的路灯附近。身体呈暗褐色，头胸部有毛，腹部有黑色的叶状斑纹，腿部强健且长有很多粗糙的毛。织的网比较大，会倒挂在蜘蛛网上。察觉到危险后，会掉到地上蜷成一团装死。　❋ 雌蛛 20~30 毫米，雄蛛 15~20 毫米

千岛管巢蛛
a kind of Sac Spider

大腹园蛛
Orb-weaver Spider

盗蛛
a kind of Long-jawed Spider

千岛管巢蛛的窝

千岛管巢蛛　一种常出没在水田或溪边的蜘蛛。将水稻或芦苇的叶子卷成一个囊状窝巢，在里面产卵。

❋ 雌蛛 6~10 毫米，雄蛛 5~6 毫米

盗蛛　一种生活在溪边潮湿的草地里或水边的长脚蜘蛛。身体呈浅黄色，腹部细长，将长长的腿前后整齐伸开，藏在草叶的后面。在草叶或树枝上结圆网。

❋ 雌蛛 10~13 毫米，雄蛛 7~10 毫米

少棘巨蜈蚣　一种生活在岩石缝里或石头底下的蜈蚣。身体细长，有 21 对足，全身分节，光滑。通体深蓝色，头部为红色。爬行迅速，捕食昆虫或蜘蛛，一些个头儿大的甚至能捕食青蛙。被它们咬伤后会非常疼，伤口会严重红肿。　　▦ 15 厘米

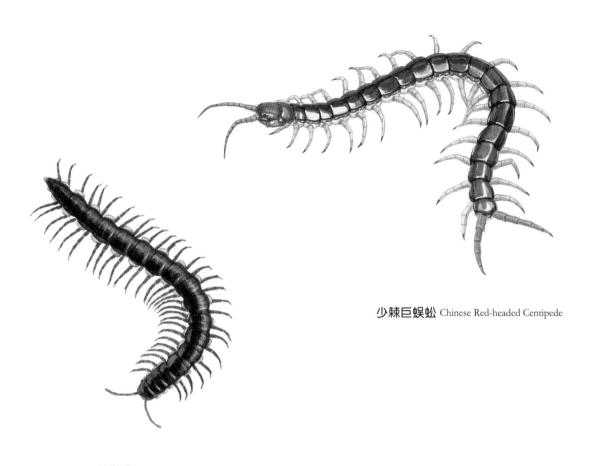

少棘巨蜈蚣 Chinese Red-headed Centipede

山蛩虫 a kind of Millipede

倍足纲　　山蛩（qióng）目　　**山蛩虫**　一种生活在黑暗潮湿的泥土或枯叶中的虫子。以腐烂的树叶为食。外形跟蜈蚣很像，但不咬人，被碰触后，释放出一种腥味，身体蜷成一团。比蜈蚣动作缓慢。　　▦ 3~4 厘米

甲壳纲　　围胸目

日本笠藤壶　一种附着在海边岩石上的藤壶。外壳像石头一样坚硬，壳口呈圆形，顶部向上隆起，表面有很细的沟纹。是一种体形较大的藤壶科动物，直径约 3~4 厘米。

日本笠藤壶 Black Barnacle

红藤壶 Rose Barnacle

藤壶科动物当海水涨上来时，会张开壳盖，伸出触手，捕食猎物。

橡子藤壶 Acorn Barnacle

藤壶科动物小时候在水中漂游，随着渐渐长大，会附着在坚硬的物体上静静地度过一生。

红藤壶　外壳为淡红的玫瑰色，表面有稀疏的沟纹。比其他藤壶稀少。附着在浅海海底的岩石上生活。直径为 3~4 厘米。

橡子藤壶　外壳上有很深的沟纹，平时会成群地附着在一个大扇贝上，看上去就像橡树的果实。直径为 1~2 厘米。

鼠妇　一种在阴暗潮湿的地方常能见到的虫子，也叫作"潮虫"。受惊后身体蜷曲成一团。体表为土黄色，有时身上带着蜕掉的老皮，看起来一半是白色。喜欢潮湿的地方，白天潜伏在枯叶中或石头底下，晚上出来觅食霉菌或腐烂的动植物。

🐛 1~2厘米

鼠妇 a kind of Wood Louse

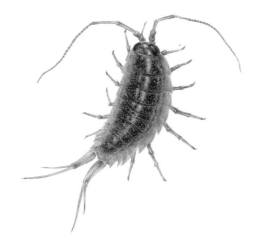

海蟑螂 Wharf Roach

节肢动物

Invertebrate Arthropods

海蟑螂只要一见到食物就会蜂拥而上，把食物全部吃光。

海蟑螂　一种在海边的岩石间成群结队活动的虫子。跟蟑螂很像，身体是椭圆形的，除头部外，分成13节，腿的末端为红色，有一对长鞭形的触角。在海浪拍打不到的岩石边常常数百只聚集在一起，只要有人接近，就会瞬间四处逃散。无论是死鱼还是食物残渣，都毫不挑剔吃个精光。白天聚集在岩石缝中休息。　🐛 3~6厘米

十足目

棘藻虾 生活在水温较低的泥质海底。外壳上有一道道橘色的斑纹，头部的棘刺像锯齿一样锋利。非常少见，主要分布在鄂霍次克海和北日本海的寒冷水域。也叫作"鬼海老"。

🐾 10厘米

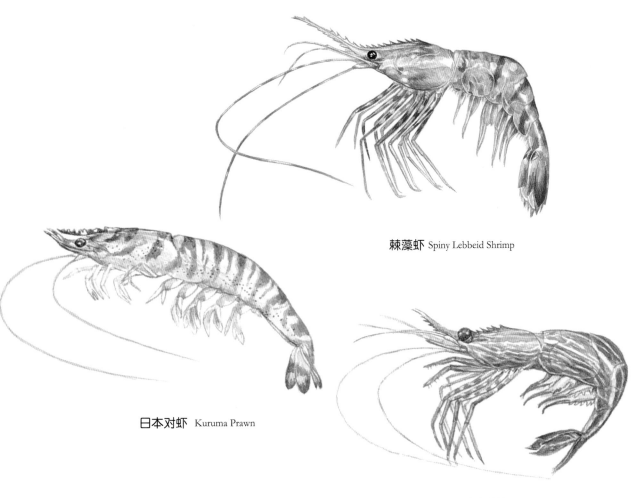

棘藻虾 Spiny Lebbeid Shrimp

日本对虾 Kuruma Prawn

日本长额虾 Morotoge Shrimp

日本对虾 从日本北海道到中国黄海南部海域都有分布。白天藏在海底的泥沙中，夜间出来觅食，以捕食小的甲壳类动物或海藻为生。也叫作"竹节虾"。 🐾 12~20厘米

日本长额虾 生活在寒冷的海域中。外壳为红色，有白色斑纹。刚从卵中孵化出时是雄性，长大之后变成雌性。冬季在中国黄海能见到。 🐾 12~15厘米

蝲蛄（là gǔ） 生活在山谷清澈的溪水中。外壳坚硬，有10条腿，最前面的两条腿上有大而坚硬的"钳子"。白天藏在石头底下，晚上出来捕食水中的昆虫或小鱼。以前在中国东北地区的小溪流中很多见，但现在要到深山谷中才能见到。

🐾 5厘米

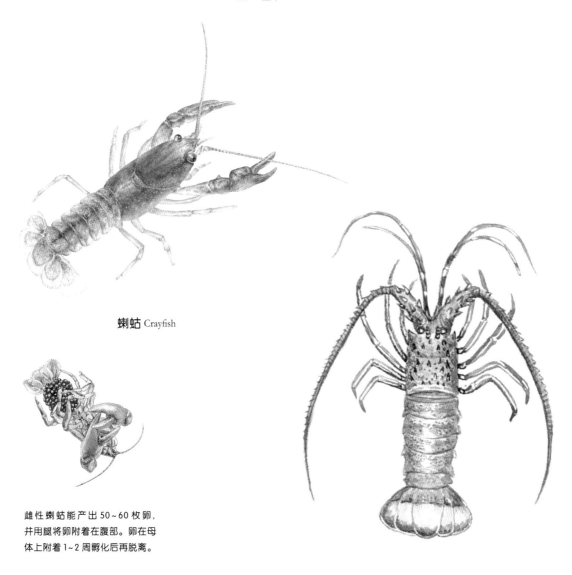

蝲蛄 Crayfish

雌性蝲蛄能产出50~60枚卵，并用腿将卵附着在腹部。卵在母体上附着1~2周孵化后再脱离。

日本龙虾 Japanese Spiny Lobster

日本龙虾 生活在浅海的岩石间或石头缝中。跟蝲蛄很像，外壳坚硬，触角弯曲而且很长。与蝲蛄不同的是，日本龙虾没有"钳子"。白天潜伏在岩石缝中，晚上出来活动。

🐾 25厘米

寄居蟹 生活在空螺壳里。头胸部非常坚硬，腹部柔软，所以会把腹部藏在螺的外壳中，只伸出头胸部爬行。最前面的腿上长有蟹螯，像大钳子一样，其中一只较大。常出没在溪边的水坑里——如果发现有些螺移动得特别快，里面准保有寄居蟹。

从螺壳中爬出的寄居蟹。

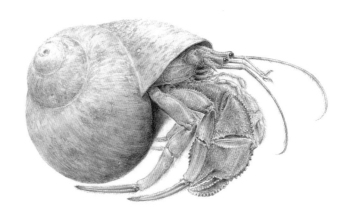

寄居蟹 a kind of Hermit Crab

寄居蟹的身体每长大一些，就需要搬到更大一些的螺壳中。

豆形拳蟹 Pea Pebble Crab

豆形拳蟹 生活在海边的浅滩上。身体为黄褐色的沙滩色，头部的突起看着像豆子。最前面的两条腿上长有大蟹螯，就像戴了拳击手套一样。不仅会横着走，还能往前爬行，行动缓慢，被碰触后会装死。🦀 2~2.5厘米

北太平洋雪蟹　生活在寒冷的深海中。腿像竹子一样溜光修长，较大的雪蟹如果把腿全部展开，可达近 1 米长。背部为暗红色，有很多粗糙的突起。　🦀 7~13 厘米

北太平洋雪蟹 Snow Crab

红毛蟹 Hair Crab

红毛蟹　生活在寒冷的深海中。浑身布满红褐色的毛，像长满了刺一样，背甲接近于矩形。　🦀 10~15 厘米

日本蟳（xún） 生活在浅海中，在中国沿海很常见。体形比梭子蟹小，背甲呈扇形。退潮时翻开石头，它们就会翘起蟹螯猛然站起。蟹螯非常坚硬而锋利，可以把海螺和贝壳的外壳弄碎。也叫作"石钳爬"。 🦀 9~10 厘米

日本蟳

梭子蟹

梭子蟹的背甲两侧比日本蟳更加尖锐，体形也更大。

日本蟳 Japanese Swimming Crab

梭子蟹 Swimming Crab

梭子蟹 在中国是产量最多的海水蟹。背甲呈菱形，非常坚硬，两侧尖锐如刺，蟹螯像剪刀一样锋利，身体最后面有一对游泳足，宽宽平平的，像划水的桨一样。潜伏在浅海的沙滩上只露出两只眼睛，一旦猎物靠近，就用蟹螯抓住。

🦀 20 厘米

绒螯近方蟹　生活在海边的岩石下或石缝中。体形较小，身体扁平，背甲上有"H"状沟纹。不同岩石或沙砾间的蟹的身体颜色各有不同。两只蟹螯一样大，都强壮而有力，雄蟹蟹螯间有一团毛。海浪拍打或感到危险时会钻进岩石缝隙或石头底下。　🦀 2.5厘米

绒螯近方蟹 Hairy-clawed Shore Crab

♂

♀

观察蟹脐就能知道螃蟹的雌雄。脐长而窄的是雄蟹，脐宽而圆的是雌蟹。

肉球近方蟹 Red-banded Shore Crab

肉球近方蟹　生活在海边的岩石下或石缝中，喜欢水质清澈的地方。背甲呈方形，有棕红色的斑点，腿部有横纹。觉察到敌情时会藏到岩石缝隙或石头底下。　🦀 3厘米

红螯螳臂蟹　生活在靠近海的河岸或沼泽里。背甲红色或深青色，两个蟹螯大而光滑，其余的足上布满细毛。有时翻垃圾桶找食物，有时摄食粪便，甚至会潜入人类家中偷食食物。盛夏晚间成群结队到海边产卵。天气变凉，就会在地里或石头底下冬眠。　🦀 3~4 厘米

红螯螳臂蟹背甲上的斑纹看起来像一张笑脸。

红螯螳臂蟹 Red Clawed Crab

中华绒螯蟹 Chinese Mitten Crab

157

雄性中华绒螯蟹

中华绒螯蟹　生活在江河或湖泊的岸边。背甲为墨绿色或深褐色，蟹螯上有密密的绒毛。蟹螯脱落后能再生，新长出的蟹螯较小。在江河的入海口处长大，秋季去浅海处产卵，孵化出的幼蟹会游回淡水中生活。　🦀 6~7 厘米

日本大眼蟹 成群生活在河流入海口的沙滩上。背甲为长方形，有密密的毛，眼柄很长，雄性的蟹螯比雌性的大。如果有水灌入，就会从洞中钻出来。会用蟹螯将沙子送入口内。一有人接近，便快速钻进洞中，仅留长长的眼柄在外观察四周。

🦀 4厘米

圆球股窗蟹 Globular Ghost Crab

日本大眼蟹 Japanese Ghost Crab

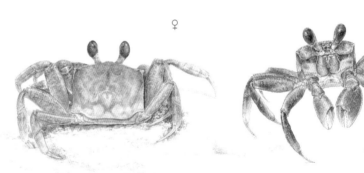

斯氏沙蟹 Stimpson's Ghost Crab

斯氏沙蟹的洞约有50~70厘米深。

圆球股窗蟹 成群生活在沙滩上。背甲接近于梯形，凹凸不平，眼睛圆圆的。在潮湿的沙地上挖约一拃（zhǎ）深的洞，住在里面，啃食沙子，洞穴周围吐满绿豆粒大小的沙球。一旦有水灌进来，便抱住一团沙子堵住洞口。 🦀 1.5厘米

斯氏沙蟹 体形比圆球股窗蟹大，背甲方方正正。无论雌雄，都是一侧的螯比另一侧大。雄蟹在交配期蟹足会变成红色，呼哧呼哧地爬行，就像在风中疾走一样。用蟹螯挖沙吃，将圆圆的沙球吐在洞穴旁边。 🦀 2厘米

清白招潮蟹 体形比弧边招潮蟹小，身体为白色，腿的内侧略显红棕色。清白招潮蟹聚集在一起，就好像白色的棋子撒在沙滩上一样。视觉敏锐，只要有人接近，便瞬间钻进洞穴。在夏季繁殖，雄蟹会在洞口将大蟹螯上下挥动，来吸引雌蟹。雌蟹在海水中产下五万枚左右的卵。到了秋季，蜕皮后长大的幼蟹再次回到沙滩。 🦀 1.5~2厘米

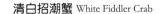

清白招潮蟹 White Fiddler Crab

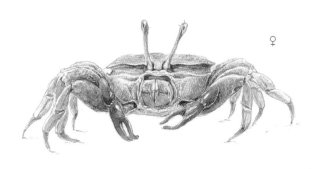

♀

♂

弧边招潮蟹 Red-clawed Fiddler Crab

弧边招潮蟹 雄蟹有一只蟹螯非常大，像挥舞在胸前的盾牌一样。有的是左边的蟹螯大，有的是右边的大。雄蟹用大的蟹螯和其他雄蟹争夺地盘，用小的蟹螯抠食食物。雌蟹的两个蟹螯都较小。水要灌进洞穴时，会钻进去用泥巴将洞口堵住。洞穴深达1米。会在洞穴里过冬。 🦀 3厘米

日本黄条色蟌（cōng） 夏季的溪边可以见到。雄性的翅膀为黑色，像深青色的绸缎一样光亮，雌性的翅膀为褐色。休息时双翅会直立于背上。雌性将腹部深深地插入水中，将卵产在水草的茎上，幼虫孵出后在水中捕食昆虫长大，之后回岸上生活。 ✳ 45~50毫米

东亚异痣（zhì）蟌 在水田或溪边常见。身体细长如线，体背颜色较深，腹部末端呈蓝色。飞行片刻就要落到草叶上歇息，会将翅膀折叠起来悄悄地附着在草叶上。 ✳ 20~25毫米

日本黄条色蟌 a kind of Damselfly

纤腹蟌 Arctic Bluet

东亚异痣蟌 a kind of Damselfly

褐带赤蜻
Banded Darter

纤腹蟌 身体呈蓝色，有黑色斑纹。交配时雌雄个体缠成心形。雌性每次在水草上产下一枚卵，幼虫在水中孵化后，捕食水蚤之类的小虫子长大。 ✳ 50毫米

褐带赤蜻 雄性腹部为红色，像红辣椒，雌性腹部为金黄色。翅膀上有黄褐色的细带状斑纹。初秋季节非常多见，成群生活，且飞得很低。 ✳ 24~28毫米

环纹环尾春蜓　夏季洁净的河谷边可以见到。黄色的身体上有醒目的黑色斑纹，腹部比碧伟蜓纤细。雄性腹部末端弯曲成钩子状。雌性会寻找水流缓慢的浅滩，将腹部掠过水面的同时进行产卵。　✂ 45毫米

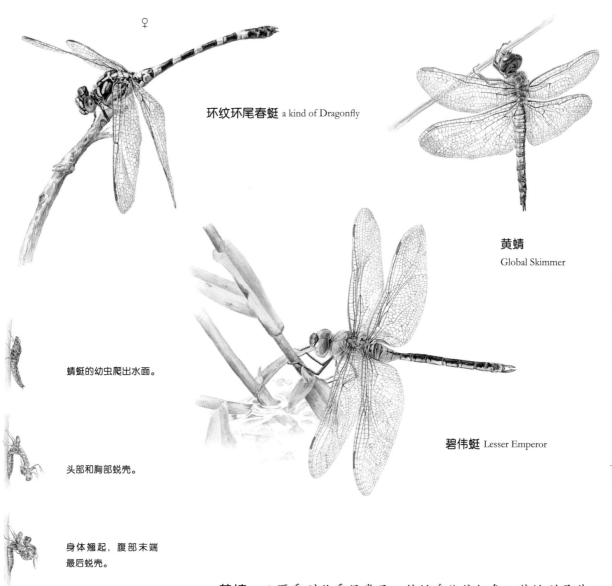

♀

环纹环尾春蜓 a kind of Dragonfly

黄蜻
Global Skimmer

蜻蜓的幼虫爬出水面。

头部和胸部蜕壳。

身体翘起，腹部末端最后蜕壳。

碧伟蜓 Lesser Emperor

展开翅膀，晾干身体。

蜻蜓在幼虫时生活在水中，长大后，爬上岸，成为成虫。不经过蛹期。

黄蜻　从夏季到秋季很常见。雄性身体偏红色，雌性则是黄色，翅膀大而有力，擅长飞行。常数只成群飞行，山间田野都很多，城市中偶尔能见到，甚至能飞得跟高楼一样高。在大雨来临前会成群低飞。　✂ 30毫米

碧伟蜓　在夏季较为常见。个头儿较大，胸部绿色。傍晚时分在荷塘或水边飞行，捕食蜉蝣或蚊子。雌性将卵产在水草的茎上，幼虫在水中捕食小鱼或蝌蚪。　✂ 50~55毫米

中华大刀螂　个头儿很大，身体为草绿色，头部为三角形，前腿像镰刀似的，上有锯齿。潜伏在树叶上，用前腿捕食，无论蚜虫还是松毛虫，抓到什么吃什么。秋季在草茎或石头缝里产卵，用分泌的粘胶将卵黏合成卵块，第二年夏天会有很多幼虫孵化出来。没有蛹期。　🐾 70~95 毫米

棕静螳　螳螂中个头儿较小的一种。身体枯草色或绿色，前腿上有黑色的斑纹。性格安静，会耐心地守候猎物。
🐾 48~65 毫米.

中华大刀螂

螳螂的卵块

中华大刀螂 Chinese Mantis

棕静螳
Asian Jumping Mantis

节肢动物门　　昆虫纲　　直翅目

中华剑角蝗　身体为绿色或褐色，头是圆锥形的。如果抓住后腿，它们的身体就会像鞠躬一样晃个不停。雌性比雄性个头儿大。嚼食水稻等植物的叶片。也叫作"中华蚱蜢"。

🐎 40~50 毫米

节肢动物

Invertebrate Arthropods

164

中华剑角蝗
a kind of Grasshopper

中华稻蝗　稻田附近的杂草丛里很常见。身体绿色，到了秋天变成黄色，像干枯的草叶一样，从眼的后面到胸部的两侧有黑色的斑纹，前腿短后腿长。从夏季到秋季，会附着在水稻上嚼食叶片。雌性在秋季将卵产在田梗里。　🐾 35~45 毫米

秋掩耳螽（zhōng）　身体为草绿色，翅膀长度是身体的两倍，可以向后弹跳。秋天的时候，会在草地上"啾啾"叫。
🐾 34~50 毫米

秋掩耳螽
a kind of Katydid

中华稻蝗
a kind of Grasshopper

日本钟蟋　常在夜晚发出"叮铃铃"的叫声。身体为黑色。雄性能将前翅猛地竖起来摩擦发出声音。也叫作"金钟儿"。

🐜 16~18 毫米

黄脸油葫芦　身体为深褐色，头部圆而光亮，腹部末端有两根尾须，尾须间有产卵管。白天潜伏在草丛中或石缝里，晚上出来觅食草根或死虫子。只有雄性能鸣叫，叫声婉转动听。

🐜 26~40 毫米

日本钟蟋
a kind of Cricket

黄脸油葫芦
a kind of Cricket

突灶螽
a kind of Camel Cricket

蝼蛄
Oriental Mole Cricket

突灶螽　背部像是佝偻一样耸起，身体为土黄色，有褐色的斑纹，触角细长。没有翅膀，被碰触后会跳得很高。夏季在田间较为常见，入秋后会进入厨房或灶间等温暖的地方。也叫作"灶马"。　🐜 40~50 毫米

蝼蛄　身体为土黄色，长有柔软的细毛，前腿粗壮，腹部末端有两根长长的尾须。像鼹鼠一样潜藏在地里，会嚼食花生的根部。夏季的晚上也会迎着灯光飞来飞去。雄性常在地下发出长时间连续的"咕——"声低鸣。　🐜 30~35 毫米

日本姬蠊 身体为淡褐色，胸部有两条黑色斑纹。长得像蟑螂，但个头儿较小，常在阴沟里或下水道中活动。

🐜 11~14 毫米

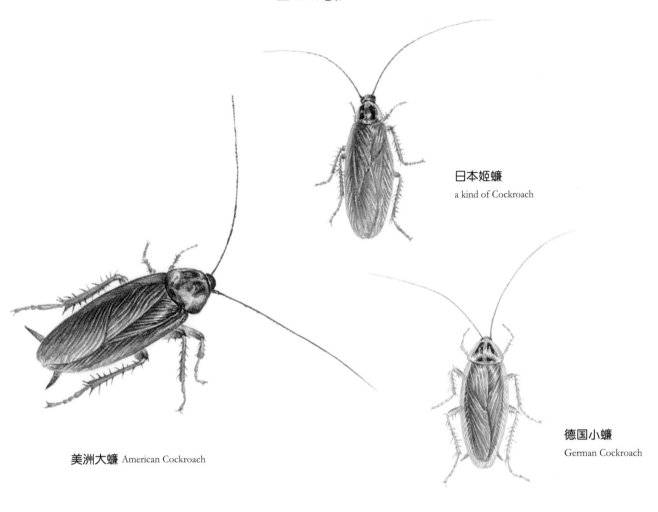

日本姬蠊
a kind of Cockroach

德国小蠊
German Cockroach

美洲大蠊 American Cockroach

美洲大蠊 个头儿很大，浑身褐色而光亮。不擅长飞行，但遇见灯光时也会急急地飞走，在下水道中擅长游泳。白天隐藏在阴暗的角落，晚上出来觅食食物残渣或腐烂的东西。

🐜 30~40 毫米

德国小蠊 分布极为广泛，常出现在住宅区。个头儿很小，身体为浅褐色，胸部有两条黑色的斑纹。白天潜伏在阴暗的角落，夜晚外出觅食，无论腐烂或不腐烂的都能食用。趴平后即使很窄的缝隙也能爬进去，擅长在墙壁或天花板上爬行。

🐜 10~15 毫米

中华螳蝎蝽　身体细长，为黄褐色，乍一看，很像干枯的树枝或稻草。用长长的腿在水底行走，潜伏在水草间，捕食小鱼或蝌蚪，用尖锐的嘴巴插入猎物体内吸食汁液。也叫作"水螳螂"。　🐜 40~45 毫米

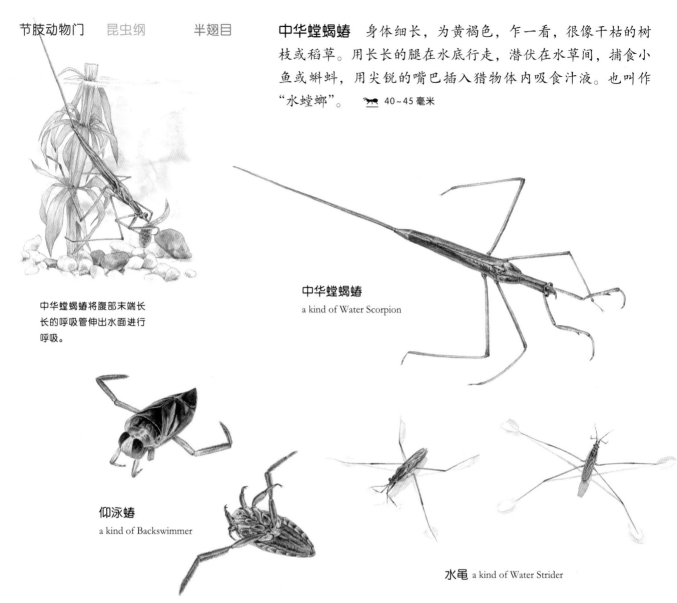

中华螳蝎蝽将腹部末端长长的呼吸管伸出水面进行呼吸。

中华螳蝎蝽
a kind of Water Scorpion

仰泳蝽
a kind of Backswimmer

水黾 a kind of Water Strider

仰泳蝽　后腿很长，游泳时背朝下，看上去像一只在划水的小船。将水黾之类的虫子用前腿猛扑，拉进水里后，用嘴巴吸食汁液。翅膀晒干后能飞很远。被碰触后会用嘴巴蜇人。　🐜 11~14 毫米

水黾（mǐn）　前腿短，后面的 4 条腿很长，腿上有很多细毛，可以在水面行走而不会沉下去。在水面上走起来像滑动一样，如果有虫子落入水中，它们会瞬间走过去吸食其汁液。如果有死了的小鱼浮上来，会招来成群的水黾。池塘或水坑干涸后，它们便飞向新的水源。　🐜 11~16 毫米

狄氏大田鳖 个头儿很大，身体为枯叶色，腿上有钩子似的尖爪。隐藏在水草丛中守候猎物，会吸食青蛙或鱼类的汁液。雌性将卵产在挺出水面的水草茎秆上，雄性则一直守护在卵块附近，直到卵孵化成幼虫。 🐜 48~65毫米

雄性狄氏大田鳖一直守护在卵块附近，不让天敌靠近，有时还会给卵块洒水，防止其干燥，直到卵孵化成幼虫。

狄氏大田鳖 a kind of Giant Water Bug

日本突负蝽 a kind of Giant Water Bug

雄性日本突负蝽将卵驮在背上，在水中游上游下，时而吹风时而晒太阳，直到幼虫孵化。

日本突负蝽 个头儿比狄氏大田鳖小，头小嘴尖，腹部末端有很短的呼吸管，用前腿抓捕水中生活的虫子，吸食其汁液。雌性将卵产在雄性的背上，雄性一直驮着30~40枚卵在水中生活，直到幼虫孵化。 🐜 17~20毫米

点蜂缘蝽　在种有豆类植物的田地里很常见。身体细长，后腿内侧长着一排尖刺，把腿垂下飞行的样子很像长脚蜜蜂。从春天到初秋都能见到，贴附在大豆的叶、茎秆或豆荚上吸食其汁液。幼虫跟蚂蚁特别像。　🐜 14~17 毫米

节肢动物

Invertebrate Arthropods

褐奇缘蝽
a kind of Stinkbug

点蜂缘蝽
a kind of Stinkbug

170

褐奇缘蝽　在矮山或田野的小树上常能见到。身体为枯叶色，长着短短的绒毛，前胸背板大而宽，就像肩膀一样，腹部突出于翅膀末端。晚春到秋季都能见到，贴附在新芽或苹果等果实上吸食其汁液。一旦被碰触，会释放出难闻的腥臭味。
🐜 19~25 毫米

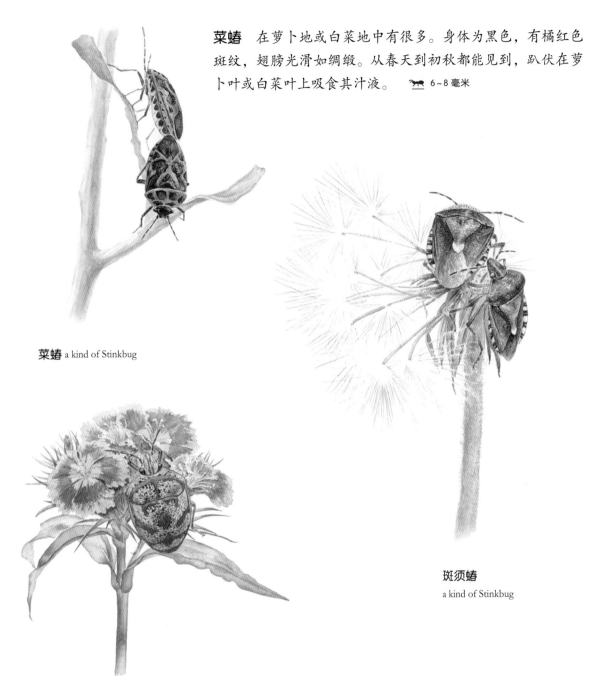

菜蝽 在萝卜地或白菜地中有很多。身体为黑色，有橘红色斑纹，翅膀光滑如绸缎。从春天到初秋都能见到，趴伏在萝卜叶或白菜叶上吸食其汁液。 🐾 6~8毫米

菜蝽 a kind of Stinkbug

金绿宽盾蝽
a kind of Stinkbug

斑须蝽
a kind of Stinkbug

金绿宽盾蝽 生活在树丛中。身体为草绿色，有红色斑纹，表面光亮。趴伏在小树的枝条或叶片上吸食其汁液，被碰触后释放出恶臭味。在幼体期身体为黑色，有白色斑纹，在枯叶中过冬，5月前后长成成虫。 🐾 17~20毫米

斑须蝽 在农田或果园里有很多。身体为绯红色，长有密密麻麻的绒毛，宽大的腹部两边有明显的黑色斑纹。从早春到晚秋都能见到，趴伏在青豆荚、芝麻果实或稻穗上吸食其汁液。果实被其咬过后会变黑，变得空瘪。 🐾 11~13毫米

褐飞虱　身体为黄褐色，眼睛是黑色的，翅膀透明，形似小蝉。在中国，夏季的时候会往长江以北迁移，深秋时又迁回南方。贴附在水稻的茎叶上吸食其汁液。水稻被褐飞虱吸食汁液后，就会从底部变黄而倒伏。　🐜 4.5~5 毫米

异色圆瓢蜡蝉　身体圆圆的，像小瓢虫，翅膀上有深褐色的斑纹。一经碰触，立马蹦跳逃跑。趴伏在树上吸食其汁液。
🐜 3~5 毫米

褐飞虱 Brown Planthopper

异色圆瓢蜡蝉 a kind of Planthopper

芦苇长突飞虱
a kind of Leafhopper

红袖蜡蝉 a kind of Derbidae

红袖蜡蝉　身体为鲜艳的橘红色，闪着光泽，翅膀是透明的。贴附在草叶上时，乍一看，就像是一个个红点点似的。相比于身体来说，翅膀尤其大，但是不飞，只是到处蹦来蹦去。
🐜 2~4 毫米

芦苇长突飞虱　在苇塘里飞来飞去。身体为深褐色，翅膀透明，跟褐飞虱很像，不过体形更细长。　🐜 5~6 毫米

菜蚜 腹部为草绿色，个头儿只有芝麻粒大小。外壳很薄，稍一压就碎了。成群聚集在幼嫩的菜苗或菜叶上，吸食其汁液。也叫作"蜜虫"。 🐜 2~4毫米

印度修尾蚜 身体上有白色的粉末，看起来是白色的，其实为黄色或橘色。趴伏在萱草的茎秆上吸食其汁液。 🐜 4毫米

菜蚜的排泄物甜丝丝的，黏黏的，因此会招来很多蚂蚁。

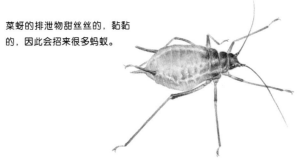

菜蚜 a kind of Aphid

印度修尾蚜 Indian Aphid

栗大蚜 Large Chestnut Aphid

凤仙花长管蚜 a kind of Aphid

栗大蚜 全身黑色，腹部圆鼓鼓的。11月前后聚集在栗树的树皮上产卵。多只雌性栗大蚜将卵产在同一个地方，黑乎乎的卵聚集在一起，看着就好像栗树树干烧焦过一样。卵在第二年春天孵化。栗树一旦滋生栗大蚜，就会衰弱而死。

🐜 5毫米

凤仙花长管蚜 幼虫身体为红色，长大后变成黑色。趴伏在凤仙花或菝葜（bá qiā，俗称"金刚藤"）上吸食其汁液。

🐜 1~3毫米

斑衣蜡蝉　在中国东北和华北地区很常见。前翅浅灰色，有黑色的斑点，后翅末端呈现漂亮的朱红色，展翅后看上去像蝴蝶一样。卵在树干上度过冬天，第二年春天孵化，夏季发育成成虫。也叫作"花姑娘""花蹦蹦"。　🐜 14~15 毫米

斑衣蜡蝉
a kind of Fulgoridae

蟪蛄 a kind of Cicada

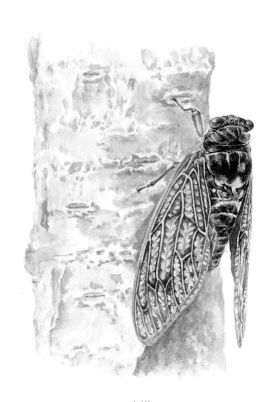

油蝉 Large Brown Cicada

蟪蛄（huì gū）　个头儿较小，身体和翅膀像迷彩服一样斑驳。夏天的时候从早到晚叫个不停，叫声为"热儿——热儿——"。　🐜 20~28 毫米

油蝉　树木茂盛的矮山上有很多。身体为黑色，有褐色斑纹，翅膀偏金色，不透明，翅脉为淡草绿色。从梅雨时节过后到初秋都能见到。那期间从早到晚"栖栖栖"地叫个不停。　🐜 31~38 毫米

蚱蝉 身体为黑色。只有雄性能鸣叫，叫声绵长而响亮。贴附在杨树或柳树上吸食其汁液。卵产在树枝上。幼虫孵出后进入土地里面，以吸食树根的汁液为生，几年之后，爬出地面变成成虫。 🐜 45 毫米

蚱蝉
a kind of Cicada

鸣鸣蝉 a kind of Cicada

寒蝉 a kind of Cicada

蝉蜕
蝉的幼虫从土中爬到树干后的最后一次蜕皮。

鸣鸣蝉 黑色的身体上有绿色斑纹，翅膀透明。夏天，太阳升起时，一会儿停在这棵树上鸣叫，一会儿停在那棵树上鸣叫。城市里也能见到。 🐜 33~37 毫米

寒蝉 外形和鸣鸣蝉相似，但个头儿较小。从盛夏到初秋，在晴天的傍晚时分鸣叫，直到深夜。生活在山上，城市里很难见到。 🐜 22~30 毫米

芽斑虎甲　5月前后在山谷或溪边常能见到。体背为褐色，鞘翅上有淡黄色的斑纹，展翅后可以看到泛绿的腹部。捕食小昆虫。　🐜 16~19毫米

芽斑虎甲
a kind of Tiger Beetle

中华虎甲
a kind of Tiger Beetle

绿步甲 a kind of Ground Beetle

绿步甲抠食蜗牛的肉。

中华虎甲　5月前后在中国华中地区的山间小路上常能见到。身体像绸缎一样，鲜艳而有光泽。人走近后，它们会往前飞几步，再靠近一些，又飞几步停下，好像给人引路似的，所以也叫作"引路虫"。幼虫在地上钻洞生活，如有猎物从洞周围经过，会突然跳起将其抓住并吃掉。　🐜 20毫米

绿步甲　个头儿较大，头和胸部为红绿色或红色，有金属光泽，鞘翅上有突起。晚上慢腾腾地爬来爬去捕食地面上的虫子，有时会捕食伏在树干上的大飞蛾。不会飞，被碰触后，释放出恶臭味。　🐜 25~45毫米

日本吸盘龙虱的尾部带着一个用于
呼吸的贮气囊。

日本吸盘龙虱　在中国是个头儿最大的水蟑螂，也最为常见。鞘翅为深绿或褐色，边缘黄色，雄性鞘翅光亮，雌性鞘翅粗糙。生活在水田或水沟里。两条后腿一起划水游泳，尾部带着一个用于呼吸的贮气囊。呼吸新鲜空气时会浮上水面。捕食虫子和死鱼。　🐜 35~40毫米

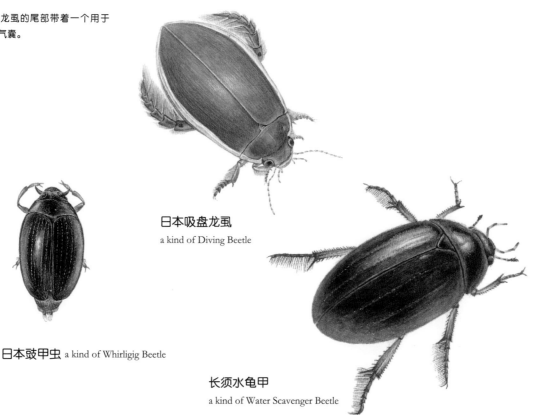

日本吸盘龙虱
a kind of Diving Beetle

日本豉甲虫 a kind of Whirligig Beetle

长须水龟甲
a kind of Water Scavenger Beetle

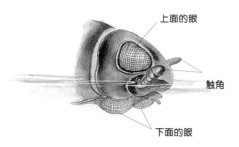

上面的眼

触角

下面的眼

豉甲虫复眼分为上下两部分，
所以它们能同时观察水面上和
水面下的情况。

长须水龟甲　身体黢黑发亮，鞘翅上密密麻麻的斑点形成数条纵向的斑纹。与龙虱不同，两条后腿交替划水游泳。食用水草为生。夏季将卵粘附在水草背面，卵柔软透明，像凉粉一样。幼虫捕食水中的虫子。　🐜 33毫米

日本豉（chǐ）甲虫　身体像黑豆一样黢黑光亮，鞘翅上密密麻麻的斑点形成 11 条纵向的斑纹。有时候数只聚在一起围成圆形，一刻不停地在水面打转。捕食停在水面的虫子。察觉危险后，会嗖地一下潜入水中，过一会儿又钻出水面。被碰触后，释放出臭味。　🐜 6~7毫米

亚氏真葬甲　身体为黑色，有光泽，前胸背板圆圆的。发现死掉的动物会蜂拥而上，饱餐一顿。从春天到秋天都能见到，夏季尤其多见。卵产在动物死尸上，幼虫啃食尸体长大。

🐾 17~23 毫米

亚氏真葬甲 a kind of Burying Beetle

前星覆葬甲
a kind of Burying Beetle

♂

臭蜣螂
a kind of Dung Beetle

前星覆葬甲　鞘翅上有橘色斑纹，触角末端呈螺纹状。夜间，将动物的尸体埋藏后，在旁边钻洞产卵，幼虫啃食尸体长大。初春季节在田野中可以见到，被碰触后会一动不动地装死。

🐾 20~25 毫米

臭蜣螂　全身黑光油亮，鞘翅上有明显的竖槽。雄性头上长着长长的角，像象牙一样。以动物粪便为食，夏季夜晚常绕着牛粪、马粪和羊粪飞来飞去，卵也产在粪便里。也叫作"屎壳郎"。　🐾 20~28 毫米

大卫齿棱颚锹（qiāo）甲 个头儿较小，体表不像锯锹形虫那么坚硬，上颚也较为短小。棕褐色的身体光滑油亮。夏末，在山谷附近或阴暗潮湿的山麓上可以见到，腐烂的树桩上有很多。通常8月左右将卵产在腐烂的橡树树桩上。

🐜 15~42 毫米

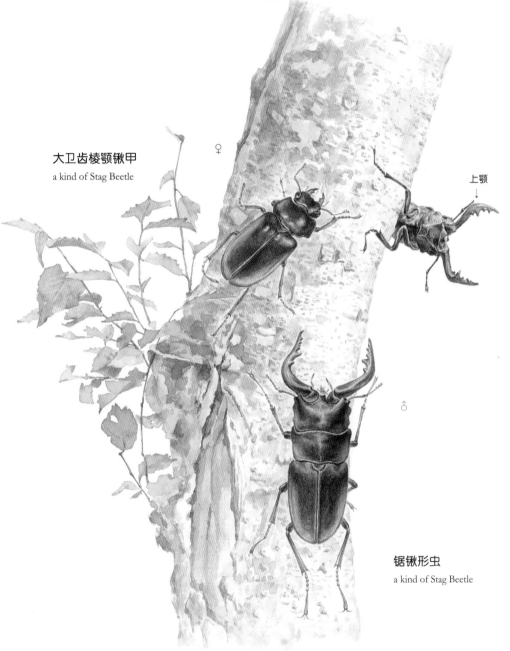

大卫齿棱颚锹甲
a kind of Stag Beetle

♀

上颚

♂

锯锹形虫
a kind of Stag Beetle

锯锹形虫 个头儿较大，身体为黑褐色，非常坚硬。雄性上颚很大，像鹿角一样。夏季的夜晚常飞到橡树的树干上吸食其汁液。雄性十分好战，会用大钳子一样的上颚互相夹击对方，如果被人碰触，也会夹人。　🐜 23~45 毫米

双叉犀金龟 生活在阔叶林中，也常被作为宠物饲养。浑身红褐色，雄性头部长有长长的末端分叉的角，前胸背板上也长角。白天在树皮的缝隙或枯叶中休息，晚上便扑棱棱地飞出来。在橡树的树干上吸食其汁液，被抓住后，会发出“哧——”的鸣叫声。也叫作“独角仙”。 30~55毫米

灰胸突鳃金龟 a kind of Scarab

双叉犀金龟
Japanese Rhinoceros Beetle

灰胸突鳃金龟 褐色的身体上布满黄色的绒毛，雄性触角末端长得像扇骨。在盛夏的夜晚会绕着灯光飞来飞去。成虫嚼食栗树或橡树的树叶，有时也会飞到桃树或苹果树上。卵产在土地中，幼虫啃食树根。 30~40毫米

异丽金龟　全身绿色，有金属光泽，鞘翅上密密地排列着突起的竖纹。夏季时到处飞来飞去，嚼食树叶或草叶。幼虫在土地里啃食植物的根长大。　🐜 15毫米

苹绿丽金龟　头和胸部为绿色，前胸背板上有淡黄色的毛，鞘翅为褐色。飞到橡树、洋槐树和樱花树上啃食花瓣。
🐜 10~12毫米

异丽金龟
a kind of Scarab

苹绿丽金龟
a kind of Scarab

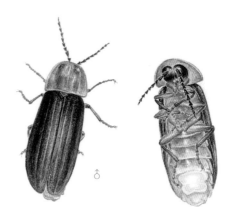

♂

红胸窗萤 a kind of Firefly

红胸窗萤　生活在清澈的溪水边。雄性腹部为橘红色，鞘翅为黑色，雌性翅膀退化不能飞行。雌性发出微弱的光在草叶上爬来爬去，雄性则闪烁着绿光在夜空飞行。卵产在潮湿的泥土里。　🐜 17毫米

裸瓢虫　砖红色的鞘翅上分布着月晕一样的白斑，胸部为淡黄色，有"W"型黑色斑纹。卵产在松树的树皮缝隙里。

🐜 8 毫米

裸瓢虫
a kind of Lady Beetle

龟纹瓢虫
a kind of Lady Beetle

一只瓢虫每天能捕食
100 多只蚜虫。

六斑异瓢虫
a kind of Lady Beetle

六斑异瓢虫　生活在阔叶林中。体背的斑纹各种各样，鞘翅边缘向上翻起，看上去像乌龟的壳。成群聚集在树皮的缝隙或树洞里过冬。在死掉的柳树枝上产下朱红色的卵群。捕食叶甲虫的卵或幼虫，有时也捕食蚜虫。　🐜 11~13 毫米

龟纹瓢虫　外形跟六斑异瓢虫很像，个头儿稍小，鞘翅上的黑斑如龟纹一般。捕食蚜虫。　🐜 3~4.5 毫米

二十八星瓢虫 鞘翅上共有 28 个斑点，布满密密麻麻的短绒毛。主要以啃食茄科植物为生，会把茄子、土豆、西红柿或其他农作物的叶子啃成网状，有时只留下叶脉，有时甚至连叶脉也啃光，还会啃食茄子的果实。🐜 6~7.5 毫米

二十八星瓢虫 28-spotted Lady Beetle

十三星瓢虫
Thirteen-spotted Lady Beetle

瓢虫的一生

在叶子上产下卵。

幼虫捕食蚜虫长大。

历经三次蜕皮后，成为蛹。

从蛹中钻出来。此时，鞘翅还很柔软，颜色很淡。

展翅起飞。

七星瓢虫 Seven-spotted Lady Beetle

十三星瓢虫 鞘翅长长的，有 13 个斑点，前胸背板中央有一块较大的黑斑，两侧各有一块小圆斑。腿比大部分瓢虫长。🐜 6 毫米

七星瓢虫 十分常见的瓢虫。鞘翅为红色，背上有 7 个圆圆的斑点。幼虫和成虫均捕食蚜虫。成虫在向阳的枯叶底下或建筑物的缝隙中度过冬天。察觉到敌人靠近时会分泌很难闻的黄色液体，还会一动不动地装死。🐜 8 毫米

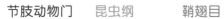

赤杨伞花天牛
a kind of Longhorn Beetle

多带天牛
a kind of Longhorn Beetle

麻竖毛天牛
a kind of Longhorn Beetle

橡黑花天牛
a kind of Longhorn Beetle

黄纹曲虎天牛
a kind of Longhorn Beetle

苜蓿多节天牛
a kind of Longhorn Beetle

赤杨伞花天牛 前胸背板和鞘翅为砖红色，有很短的绒毛，鞘翅越往后越窄。白天总在花丛中飞来飞去啃食花瓣或花蕊，幼虫啃食死树。盛夏时很常见。 🐜 12~17 毫米

多带天牛 全身黑色，鞘翅上有两条黄色的横带。夏季时常在花丛中飞来飞去。 🐜 15~20 毫米

麻竖毛天牛 鞘翅看上去很像葵花子，有白色的竖条纹。嚼食大麻的叶片为生，有时会飞到果园里啃食果树的叶子。 🐜 11~15 毫米

橡黑花天牛 5 月前后在矮山上的花丛中常能见到。鞘翅有的黑色，有的红色，浑身油光发亮。最喜欢栖息在蔷薇花和树莓的花丛中。 🐜 12~17 毫米

黄纹曲虎天牛 乍一看，很像土蜂，黑色的身体上有像老虎皮一样的黄色斑纹，并且布满绒毛。夏季时常在花丛中飞来飞去。在枯树上产卵。 🐜 18 毫米

苜蓿（mù·xu）多节天牛 身体为黑色，鞘翅为深蓝色，有金属光泽，触角上有成簇的软毛。初夏时，在一年蓬、艾草和大蓟之类的菊科植物丛中非常多见。被抓住后，发出"吱——吱——"的叫声。 🐜 11~16 毫米

锯天牛 全身黑色，前胸背板两侧的波状突起像锯齿一样，触角也像锯齿。生活在树木茂盛的深山中，白天藏在树皮缝中，晚上到处飞行。幼虫蛀食针叶树的树心。 🐜 23~48 毫米

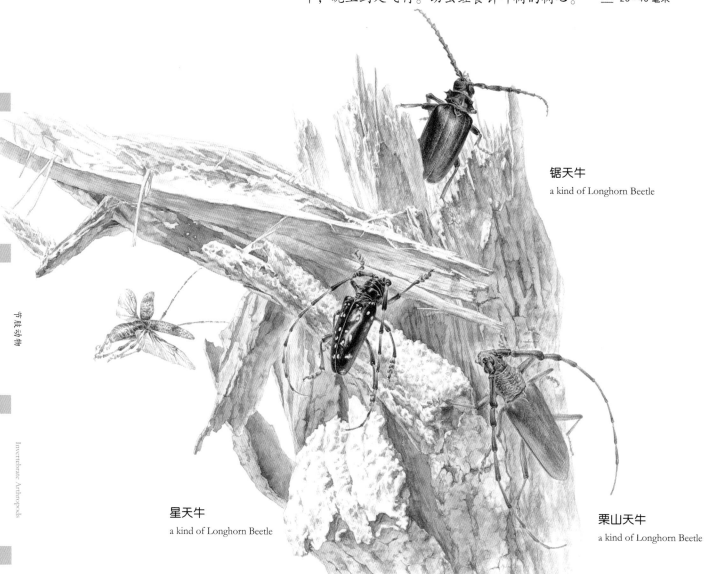

锯天牛
a kind of Longhorn Beetle

星天牛
a kind of Longhorn Beetle

栗山天牛
a kind of Longhorn Beetle

星天牛 夏初，在人行道两旁的杨柳、梧桐等树上常能见到。黑色的鞘翅上分布着白色的斑点，浑身发亮。啃食柳树等树的树皮和枝条。幼虫蛀食树心长大。 🐜 25~35 毫米

栗山天牛 个头儿较大，生活在山间粗壮的橡树或栗树上。雌性啃咬树皮，在树干中产卵，幼虫蛀食树心长大。
🐜 34~57 毫米

节肢动物

Invertebrate Arthropods

186

栎长颈象制作卵窝的过程

用脚步测量树叶的尺寸。

将叶片的一部分对半折起。

把卵产在里面，将叶片卷成一团。

将叶片一端翻过来包好。

咬断叶脉，使叶片掉在地上。

云斑白条天牛　个头儿较大，灰褐色的身体上有白色的斑纹，并长有密密的淡黄色绒毛。初夏时飞到粗大的树干上，在树皮上钻蛀圆孔产卵，绕着树干留下条纹状痕迹。幼虫蛀食树心长大。　🐜 45~52 毫米

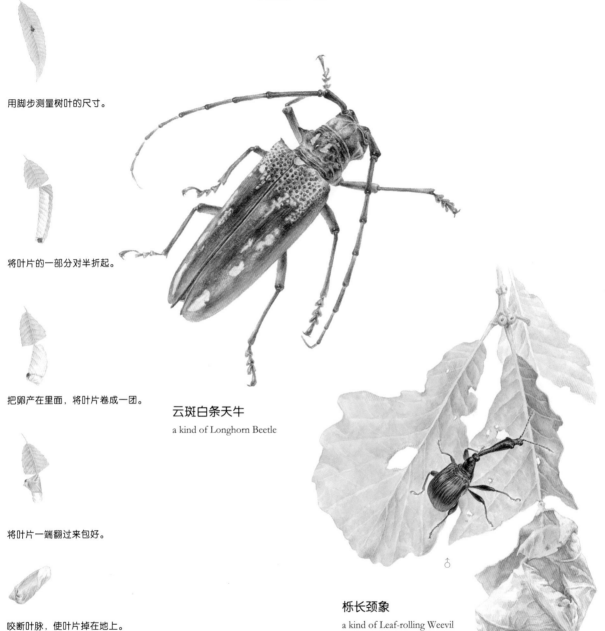

云斑白条天牛
a kind of Longhorn Beetle

栎长颈象
a kind of Leaf-rolling Weevil

栎长颈象　5 月前后栎树叶子嫩绿时非常多见。脖子长而灵活，像鹅脖子似的，雄性比雌性的脖子更长。鞘翅为红色，有密集排列的竖槽。雌性在橡树的叶片上产卵之后，将叶片卷起，使其落到地面。孵出的幼虫则啃食包裹的叶片长大。

🐜 8~12 毫米

蒙栎象　梅雨时节过后非常多见。身体为棕褐色，有斑纹，并长有密密的绒毛，嘴巴非常细长。用嘴巴在板栗上钻洞，将产卵管插进去，将卵产在里面。幼虫啃食板栗肉长大，被它们咬过后，板栗心会变黑，发出腐烂的味道。　🐜 6~10 毫米

蒙栎象的幼虫

蒙栎象 a kind of Weevil

松瘤象 a kind of Weevil

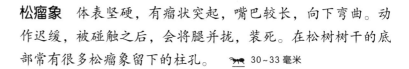

米象 Rice Weevil

节肢动物

Invertebrate Arthropods

米象将卵产在米粒里面。

松瘤象　体表坚硬，有瘤状突起，嘴巴较长，向下弯曲。动作迟缓，被碰触之后，会将腿并拢，装死。在松树树干的底部常有很多松瘤象留下的柱孔。　🐜 30~33 毫米

米象　个头儿比米粒小，身体为深褐色。在米缸中啃食大米、产卵。由于它们不喜欢明亮的地方，所以，将大米放在太阳底下一晒，米象就爬走了，有些幼虫也会被晒干而死掉。米象蛀食过的大米空心易碎，没有米香味。　🐜 3~4 毫米

大蚊 在池塘等水域附近比较常见。跟普通的蚊子很像但个头儿更大，腿很细长，被碰到后很容易折断。与普通蚊子不同的是，它们不咬人。卵产在水源附近，幼虫长得很像蛆，啃食腐烂的水草长大。

淡色库蚊 身体为淡褐色，嘴巴尖而长。雌性晚上飞来飞去，吸食人或动物的血液；雄性吸食植物的汁液。在下水道或地窖等暖和的地方过冬。卵产在被污染的积水中。 🐜 5~6毫米

淡色库蚊 Common House Mosquito

大蚊
a kind of Crane Fly

中华盗虻 a kind of Robber Fly

白纹伊蚊
a kind of Mosquito

白纹伊蚊 个头儿较小，全身黑色，有白色斑纹。与淡色库蚊不同，雌性白天也会到处飞行吸食血液。嘴巴尖锐，连牛仔裤都能穿透，被其叮咬后有强烈的刺痛感。

中华盗虻 比其他大多数食虫虻个头儿大，腹部瘦长，眼睛很大，为深绿色。行动敏捷，会倏地飞过去捕捉活的虫子，用结实有力的腿将其紧紧夹住，用锥子般尖锐的嘴巴吸食其汁液，有时也会捕食比自己个头儿大的甲虫。 🐜 20~28毫米

黑腹果蝇　个头儿非常小，身体为淡黄色，眼睛为红色，触角很短，腹部有黑色的带状斑纹。夏天的时候，削掉的水果皮上很快就能生出数只，阴天闷热的时候会孳生更多。卵产在腐烂的水果里或果皮上。　🐜 2~3 毫米

黑腹果蝇
Common Fruit Fly

黑带食蚜蝇 a kind of Hoverfly

毛肋寄蝇 a kind of Tachina Fly

煮熟的玉米含有很多糖分，很快引来成群的苍蝇。

黑带食蚜蝇　头和胸部为黑色，腹部为黄色，有黑色的带状斑纹，看上去像蜜蜂。在花丛中吸食花蜜或舔食花粉，有时会落在人身上舔食汗液。幼虫捕食蚜虫。　🐜 8~9 毫米

毛肋寄蝇　身体长有短棒状的绒毛。不往家里飞，春季到秋季在高山上食用花粉或花蜜。卵产在其他昆虫体表，幼虫孵化后会钻入其体内生活。　🐜 10~18 毫米

黄粪蝇 身体是像粪便一样的黄色，密布黄色的绒毛，眼睛为褐色，触角很短。飞到动物或人的粪便上产卵，卵孵化出的蛆虫食用粪便长大，成虫则以捕食小昆虫为生。

🐾 10~19 毫米

黄粪蝇
Common Yellow Dung Fly

苍蝇在大酱缸里产下蛆虫。

蛆虫变成蛹度过冬天。

到了春天成虫从蛹中钻出来。

麻蝇 a kind of Flesh Fly

麻蝇 个头儿较大，胸部有淡黑色的条状斑纹，眼睛为红色，身体和腿上有绒毛。麻蝇不产卵，直接把幼虫产在腐肉或粪便上。老式厕所中常有很多麻蝇。通常在室外活动，晚上会悄悄地伏在草叶或树枝上。　🐾 7~13 毫米

桑蚕蛾　人们为了抽丝而饲养的一种昆虫。全身白色，身体呈圆筒形。相传中国在黄帝时期就已开始养蚕。"蚕"指桑蚕蛾的幼虫。蚕嚼食桑叶，经过 4 次蜕皮后成熟，吐丝结茧，在茧内化蛹。从蚕茧抽出的细丝可以用来制成丝绸。

🦋 39~43 毫米

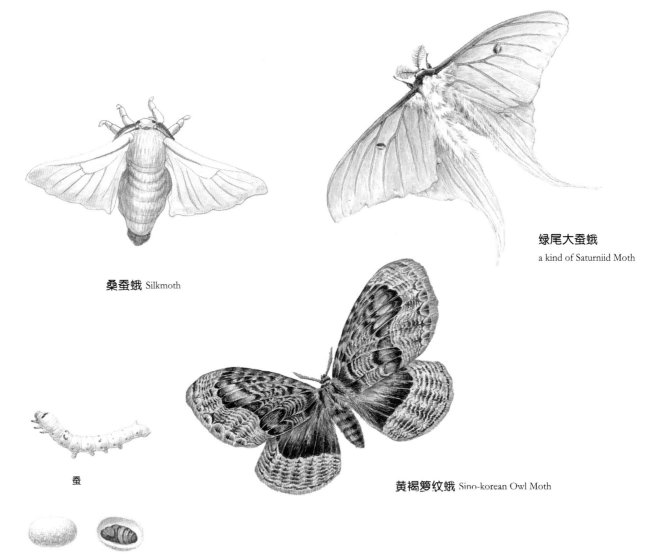

绿尾大蚕蛾
a kind of Saturniid Moth

桑蚕蛾 Silkmoth

黄褐箩纹蛾 Sino-korean Owl Moth

蚕

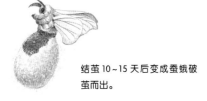

蚕茧

结茧 10~15 天后变成蚕蛾破茧而出。

绿尾大蚕蛾　翅膀为淡绿色，前后翅上各有两块像眼睛似的圆斑。后翅像尾巴一样，长长的。晚上会飞到路灯下，展开宽宽的翅膀翩翩起舞。　🦋 95~110 毫米

黄褐箩纹蛾　身体为黄褐色，翅膀宽大，上面有晃晃悠悠的波浪状斑纹。幼虫以水蜡树的叶子为食。夜间，有时会顺着灯光飞到人们的家中。　🦋 100~120 毫米

枯叶夜蛾 前翅很像枯叶，后翅为杏黄色，有黑褐色斑纹。停下来时的样子很像掉落的树叶。伏在多种果树上吸食其汁液，幼虫则啃食木通或常青藤的叶子而长大。 🦋 95~100 毫米

枯叶夜蛾 a kind of Owlet Moth

蛾类和蝶类的触角

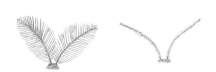

蛾类的触角像长了羽毛一样。

蝶类的触角像棍棒一样，末端膨大。

旋目夜蛾 a kind of Owlet Moth

旋目夜蛾 前翅上有类似太极图案的斑纹，突然展开翅膀时，这种斑纹看上去很像灰林鸮的眼珠。整个翅膀布满波浪状斑纹。伏在水果上吸食果汁或在橡树上吸食其汁液，幼虫啃食合欢的叶子而长大。 🦋 64~70 毫米

菜粉蝶　雄性翅膀为乳白色，雌性白色的翅膀上泛着黄色的光泽。在荠菜、萝卜、油菜等十字花科植物的花上吸食花蜜。卵产在叶片的背面。幼虫全身青色，也叫作"菜青虫"，啃食菜叶长大。天气太热或太冷时，幼虫会钻进菜心里藏起来。

🦋 50~60 毫米

菜粉蝶
White Butterfly

琉璃灰蝶
Holly Blue

豹弄蝶
a kind of Skipper Butterfly

豹弄蝶　翅膀为褐色，翅脉和翅边缘为黑色。晴朗的夏日里，会在山脚下盛开的花丛中翩翩起舞，姿态优美。卵产在疏花雀麦、丝带草或鹅观草等禾本科植物的叶子上。幼虫过冬之后化蛹，初春时破蛹成蝶。　🦋 27~32 毫米

琉璃灰蝶　个头儿非常小，翅膀为蓝色，边缘有黑框，翅膀反面为白色，因此收起翅膀后看上去是白色的蝴蝶。经常飞落在小溪上啜水喝。　🦋 15~22 毫米

麝凤蝶 翅膀看起来是透明的，末端很长，像尾巴一样，后翅上有红色的新月形斑纹。成虫能释放出清香味。有时会停落在稀软的泥地上啜水喝。卵产在马兜铃叶子的背面。

🦋 75~110 毫米

麝凤蝶 Chinese Windmill

金凤蝶 Swallowtail

花椒凤蝶
Asian Swallowtail

金凤蝶 身体为黑褐色，金黄色的斑纹特别醒目。常围绕着山上盛开的红花和白花飞舞。清晨，停在向阳的地方展开翅膀晒太阳。卵产在茴香、胡萝卜等伞形科植物的叶片上。

🦋 90~120 毫米

花椒凤蝶 从春天到初秋，在田野或公园中都较常见。翅膀上的黄斑似虎纹。卵产在枳或花椒等芸香科植物的叶子上。幼虫啃食叶片长大。 🦋 90~105 毫米

叶形多刺蚁　头部和腹部为黑色，胸部红褐色，有钩子一样的刺。跟在蚜虫的后面吸食橡树的汁液。叶形多刺蚁聚集的地方会散发出酸溜溜的腐臭味。　🐜6~10毫米

叶形多刺蚁 a kind of Ant

石狩红蚁 a kind of Ant

镶黄蜾蠃 a kind of Potter Wasp

日本弓背蚁 a kind of Ant

镶黄蜾蠃用泥巴垒成葫芦形的巢穴。

日本弓背蚁　工蚁全身黑色，腹部有黄色的绒毛，触角呈"<"形。雄蚁的触角较平整。通常列队爬行，一起搬运食物，有时会爬到人的腿上进行叮咬。　🐜6~15毫米

石狩红蚁　头和胸部为红色，腹部为褐色，浑身长满密密麻麻的绒毛。被其咬伤后，伤口会像被火炙烤一样疼。会将干草或松针层层堆起垒成蚁巢。　🐜5~11毫米

镶黄蜾蠃　黑色的身体上有黄色的斑纹，腹部前半部分纤细。雌蜂在每个蜂室中产下一枚卵，然后捕抓毛毛虫来堆满蜂巢，最后将巢口堵上，幼虫靠啃食这些活的毛毛虫长大。镶黄蜾蠃一般独自生活，不结群。　🐜25~30毫米

黄边胡蜂 身体为橘黄色，个头儿比蜜蜂大，被碰触后会用毒刺蜇人。会袭击蜜蜂的巢穴偷食蜂蜜，捕食其幼虫，也会吸食果汁或树干的汁液。在树缝、石缝里或屋檐下筑巢。通常数百只聚集在一起生活。 🐜 20~25毫米

黄星长脚胡蜂 a kind of Wasp

黄边胡蜂 Hornet

黄边胡蜂的巢穴像足球一样圆。

西方蜜蜂 Western Honey Bee

黄星长脚胡蜂 外形跟黄边胡蜂很像，比黄边胡蜂修长且腹部前端细长，飞行时两条长长的后腿会垂下来。在屋檐下或树枝上筑成向日葵花形状的蜂巢。 🐜 15毫米

西方蜜蜂 是在全世界饲养最为普遍的蜜蜂，会采集花蜜。筑成的蜂巢由一个个六角形模样的小蜂室组成。数万只聚集在一起生活，蜂王只负责产卵，雄蜂负责与蜂王交配，之后就会死去，工蜂负责筑巢和采集食料等。尾部有刺，被碰触之后会蜇人，一旦蜇人之后，就会因内脏被毒刺一同拽出而死亡。 🐜 12毫米

西方蜜蜂为了采蜜，忙碌地穿梭于花丛中给花授粉。

日本张球蜚　在植株较高的杂草丛里可以见到。个头儿比克乔球蜚小，尾铗（jiá）也较短，雄性尾铗上有突起。主要食用昆虫的卵或蛹，也吃花粉，在树皮缝或石缝中过冬。

🐎 16 毫米

克乔球蜚　身体为深褐色，前翅为红褐色，腹部末端有一个长长的尾铗，雄性尾铗上有突起，雌性的尾铗平直。打架时，尾铗会像蝎子的尾巴一样翘起，人即使被夹住也不疼。

🐎 15~22 毫米

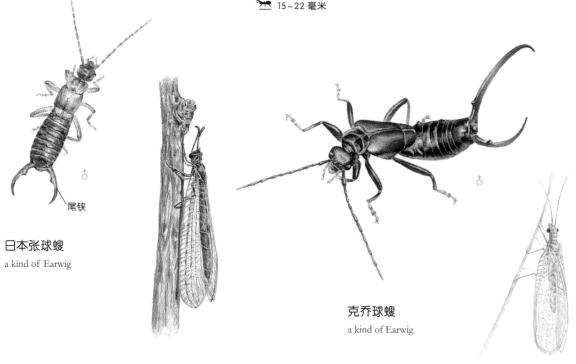

尾铗

日本张球蜚
a kind of Earwig

黄足蚁蛉 a kind of Antlion

克乔球蜚
a kind of Earwig

大草蛉 a kind of Green Lacewing

脉翅目

黄足蚁蛉　外形跟蜻蜓很像，身体为灰褐色，翅膀透明，像绸子一样柔软细腻，触角长得像棍棒。动作迟缓，飞起来飘飘忽忽的，显得很无力。卵产在沙地里，幼虫被称为"蚁狮"，蚁狮会在沙土中挖出一个漏斗状的陷阱，潜伏其中，一旦有蚂蚁掉进去便抓住吸食其汁液。　🐎 40 毫米

黄足蚁蛉的幼虫蚁狮挖出
漏斗状的沙坑捕食蚂蚁。

大草蛉　个头儿较小，身体为草绿色，翅膀透明，眼睛呈金黄色。幼虫时期就以捕食蚜虫为生，一生能捕食 5000 多只蚜虫。卵产在草叶上。被碰触后会释放腥臭味。　🐎 13~15 毫米

节肢动物

Invertebrate Arthropods

蜉蝣目

细纹蜉蝣 个头儿较大，腹部有细条纹。春夏两季，太阳落山时到处飞来飞去交配。幼虫时期一般为一年左右。幼虫附着在溪水中的砾石上生活，不经过蛹期，变成成虫之后钻出水面。成虫寿命很短，不进食，交配、产卵后就会死去。

🐜 15~20 毫米

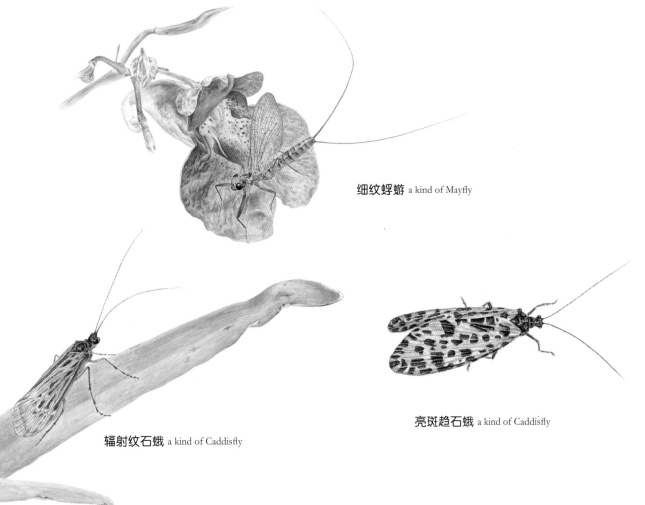

细纹蜉蝣 a kind of Mayfly

辐射纹石蛾 a kind of Caddisfly

亮斑趋石蛾 a kind of Caddisfly

石蛾幼虫的巢

毛翅目

辐射纹石蛾 翅膀上分布着辐射状的褐色斑纹。盛夏晚上的溪边如果有灯光就会招来很多。幼虫在水中食用水藓或小昆虫为生，会做出管状的可移动的巢，将巢附着在水下的石头上，然后钻进去生活。 🐜 8~14 毫米 🦋 23 毫米

亮斑趋石蛾 翅膀较大，密布着醒目的黑色斑块，看起来像蝴蝶。常在夜间慢慢地飞来飞去。卵产在水流缓慢的溪水或池塘中。幼虫将掉落在水中的小树枝等整齐排列在一起，并用分泌的粘液黏合，筑成管状的巢，在那里面生活。

🐜 20~25 毫米 🦋 60 毫米

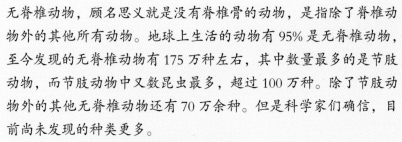

其他无脊椎动物

没有脊椎骨的动物

无脊椎动物，顾名思义就是没有脊椎骨的动物，是指除了脊椎动物外的其他所有动物。地球上生活的动物有95%是无脊椎动物，至今发现的无脊椎动物有175万种左右，其中数量最多的是节肢动物，而节肢动物中又数昆虫最多，超过100万种。除了节肢动物外的其他无脊椎动物还有70万余种。但是科学家们确信，目前尚未发现的种类更多。

无脊椎动物形态多样，像植物一样附着在一个地方而生活的海绵或珊瑚，身体断开后能重新生长的真涡虫，像塑料袋一样在海水上漂浮的海蜇等，都是无脊椎动物。从高高的山峰到一缕阳光都照射不到的深海，都有无脊椎动物的踪影。其中既有人们肉眼无法看到的小动物，也有巨乌贼这样的大块头。深海中生活的巨乌贼体重近1吨，长达18米。

脊索动物　包括尾索动物、头索动物和脊椎动物。其中尾索动物（本章节将会涉及）全都存在于海洋中，大部分一生附着在一个固定的地方生活。海鞘是尾索动物中最主要的类群，幼体长得很像蝌蚪，尾部有一条脊索，但随着生长尾部逐渐萎缩乃至消失。长大后的海鞘呈坛子或袋子状。

海绵动物　由于其身体像棉絮一样软绵绵的，因此称为"海绵动物"，也叫作"多孔动物"。大部分生活在海中，附着在某处生活。很多海绵动物呈分枝形，看上去就像植物一样。通过体壁上的孔洞将海水吸进去，将其中的食物颗粒食用之后，再通过孔洞排出未消化的东西。

刺胞动物　因其有刺状细胞，所以称为"刺胞动物"。依靠触手来捕食猎物。触手上的刺细胞能够将猎物麻醉或毒杀。用触手将食物带到嘴边吞食后，食物残渣又从口中吐出。刺胞动物有水母、海葵等。海葵附着在海里的岩石上生活，而水母则漂浮在海水中。

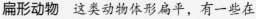

扁形动物 这类动物体形扁平，有一些在溪涧、江河或海洋的底部爬行生活，有一些过着寄生生活。在清澈山涧里的石头底下生活的真涡虫就是一种扁形动物。其身体两侧是对称的，体长一般为2厘米左右，能滑行，以食用其他动物的尸体为生。人体的寄生虫中有很多属于扁形动物，如绦虫和血吸虫。

软体动物 一种没有骨骼，身体柔软的动物。鱿鱼、牡蛎或海螺都是典型的软体动物。尽管大部分生活在海洋中，但也有像蜗牛一样生活在陆地上的，像田螺一样生活在淡水中的。牡蛎和海螺具有坚硬的贝壳，其中牡蛎有两片贝壳，因此归为"双壳纲"，海螺用腹足爬行，因此归为"腹足纲"；乌贼和章鱼的头上长有腕足，因此归为"头足纲"。软体动物是无脊椎动物中智商最高的，乌贼彼此之间能够进行信号交流，且为了保护自身有时会改变身体的颜色。和刺胞动物、扁形动物不同，软体动物进食后，通过肛门排出食物残渣。

棘皮动物 由于其皮肤上有许多突出的棘或刺，因此被称为"棘皮动物"。所有的"棘皮动物"都生活在海洋中，多数能够移动，从海边到很深的海底都有广泛的分布。我们熟悉的棘皮动物有海星、海胆和海参。海星通常呈五角形，看上去像星星；海胆呈球形，长得像毛栗子；海参呈圆筒形，浑身软绵绵的。海星、海胆和海参身体都呈辐射对称。

环节动物 由于其身体有环形的体节，因此被称为"环节动物"。这种动物慢悠悠地爬行或将身体蠕动着游来游去，有时通过身体的不断伸缩钻洞。最常见的环节动物是蚯蚓，比如在水田里生活的颤蚓。另外，在沙滩上生活的沙蚕也是常见的环节动物。它们给人类的生活带来了很多益处：蚯蚓通过在地下钻洞而使土壤变得疏松，使水分和肥料能更好地深入土中；沙蚕以沙滩上的有机物为食，这有助于净化沙滩。

真海鞘　附着在海底的岩石或海藻上生活。体表为红色，身体像皮革一样结实，有高低不平的突起，顶端有两个乳头状的孔洞，一个是用来吸进海水摄取食物的进水孔，一个是用来排出食物残渣的出水孔。它们通过不断地吸水排水，既能进行呼吸又能获取食物。　　● 10~18 厘米

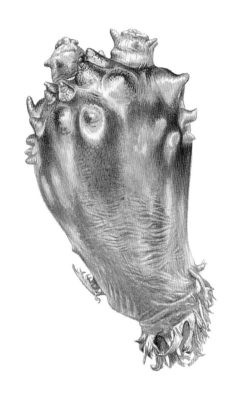

真海鞘 Sea Squirt

柄海鞘 Stalked Sea Squirt

皱瘤海鞘 Pleated Sea Squirt

柄海鞘科　　**柄海鞘**　长得跟真海鞘相似，但体形较小。高高低低的突起间有进水孔和出水孔，身体底部的长柄可以附着在被海水淹没的物体上。吃的时候将外壳剥掉食用，剥掉外壳后的柄海鞘形如橡子，像真海鞘一样有清新的大海的味道。　　● 5~10 厘米

皱瘤海鞘　大小和形状都各式各样。体表有很多褶皱，显得干巴巴的，还有很多突起。与柄海鞘不同，它们的身体底部没有柄。比柄海鞘难剥，人们常连壳一起吃。由于皱瘤海鞘常能牢牢地附着在各种物体上，因此也被称为"万物粘"。

● 1~10 厘米

海绵动物门　　寻常海绵纲　　南瓜海绵科　　**南瓜海绵**　附着在浅海中的岩石或珊瑚上生活。像南瓜一样圆圆的，体表为黄色，密布圆形的突起。释放的化学物质能将贝壳或海堤穿洞。直径 70 厘米左右，高度约 50 厘米。

南瓜海绵 Yellow Boring Sponge

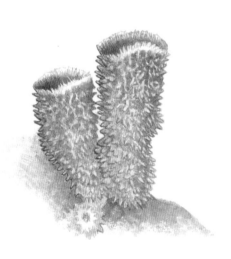

紫色花瓶海绵 Spiky Tube Sponge

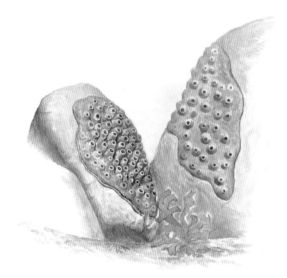

紫色海绵 Purple-encrusting Sponge

美丽海绵科　　**紫色花瓶海绵**　身体为烟囱状，也像花瓶，呈紫色或黄色，直径 3 厘米左右，高度约 10 厘米。

紫色海绵科　　**紫色海绵**　附着在浅海的岩石上生活。全身紫色，布满密密麻麻的像火山口似的小孔。通常像苔藓一样紧紧贴附在背阴的岩石上，就好像把岩石覆盖了一般。　● 30 厘米

海月水母　看上去像一把透明伞，伞盖直径为 15 厘米左右。夏季最多，白天在海水中飘来飘去，晚上潜入大海较深处，有时会堵塞核电站的冷却水管，迫使核电站停止运转。尽管被碰触之后会蜇人，但毒性不大。

口冠水母科

野村水母　是水母中体形最大的，伞盖的直径可达 1 米。降落伞似的伞盖柔软而透明，下面长着很多触手。触手有毒，人被蜇后皮肤会红肿。　🆎 150~200 千克

珊瑚虫

海月水母
Moon Jellyfish

疣冠形软珊瑚 Red Soft Coral

触手　□

珊瑚虫

珊瑚虫会伸展触手，如果有猎物接近，就会用触手将其蜇伤麻醉，然后送入口中。

触手
↓

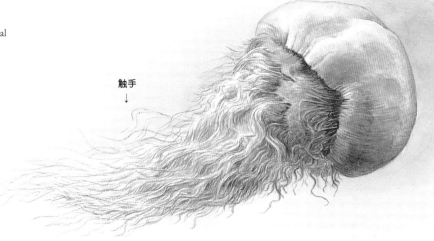

野村水母 Nomura's Jellyfish

珊瑚纲　软珊瑚科

疣（yóu）冠形软珊瑚　附着在海中的岩石上生活。浑身粉红色，看上去像苍劲的大树一样舒展着繁茂的枝杈，身体很柔软。通常数只聚在一起成群生活。尽管是一种动物，但其随着波涛在水中飘摇的样子，仿佛大海中盛开的鲜花。

　🥚 40 厘米

角珊瑚科　**小扇海底柏**　附着在海中的岩石上生活。长得很像红色的树枝，珊瑚虫就像点缀在上面的白色的花一样。热带海洋中有很多。被波涛拍打后很容易弯曲，有很多倒立附着在大海中的岩壁上。长大之后能达 30 厘米高。

纵条矶海葵科　**纵条矶海葵**　体表为深绿色，有橘色竖纹，看上去像西瓜皮似的，所以也叫作"西瓜海葵"。它们把触手缩回去后就仿佛很多葡萄附着在岩石上。　● 1~2 厘米

海葵展开触手将海水吸进去，既可获取食物，又能进行气体交换。

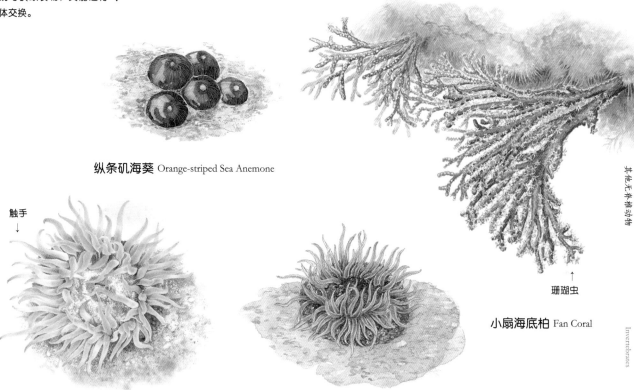

纵条矶海葵 Orange-striped Sea Anemone

触手
↓

绿海葵 Green Rock Anemone

等指海葵 Beadlet Anemone

珊瑚虫
↑

小扇海底柏 Fan Coral

海葵科　**绿海葵**　附着在常有海水没过的岩石或沙滩上生活。体表呈绿色，触手透明。海水袭来时伸开触手，捕食小鱼或螃蟹。触手有毒，但人被蛰到也无大碍。用手碰触绿海葵，其触手会一下子收起。　● 3.5~5 厘米

等指海葵　体表呈褐色、红色或乳黄色，触手透明。大部分都附着在浅海的岩壁上，也有些会附着在贝类的外壳上生活。　● 5 厘米

扁形动物门　涡虫纲　涡虫科　**真涡虫**　在清澈的池塘或小溪底部生活，在水田地里也有，一般藏在石头底下。身体扁平瘦长。在水底慢慢蠕动，食用动物尸体或活的微小动物。身体被切断后，哪怕只剩 1/100，也能重新活过来。　● 1厘米

真涡虫 Planaria

日本花棘石鳖
Japanese Common Chiton

大鲍螺 Giant Abalone

软体动物门　多板纲　石鳖科　**日本花棘石鳖**　附着在海边的岩石上生活。体表整齐地排列着 8 片壳，壳周围有许多绒毛。看似不动，但晚上有海水漫过时，也会到处寻找食物，海水退去之前，又回到原地。海浪拍打也不会使其从石头上掉下来。　● 5厘米

腹足纲　鲍螺科　**大鲍螺**　只有一片壳，壳坚硬而厚实，形状很像人的耳朵，上面有 4~5 个火山口似的突起的孔洞，而有 6~9 个孔的是"杂色鲍"。大的外壳直径能超过 20 厘米。以啃食海带之类的海藻为生。　● 20厘米

钟螺科　　**单齿螺**　外壳呈圆锥形，壳内侧像珍珠一样亮白光滑，壳里的身体不能完全伸展出来。通常藏在海边的岩石下或石缝中，水多的时候也会出来爬行。　▶ 1.5~2.5厘米

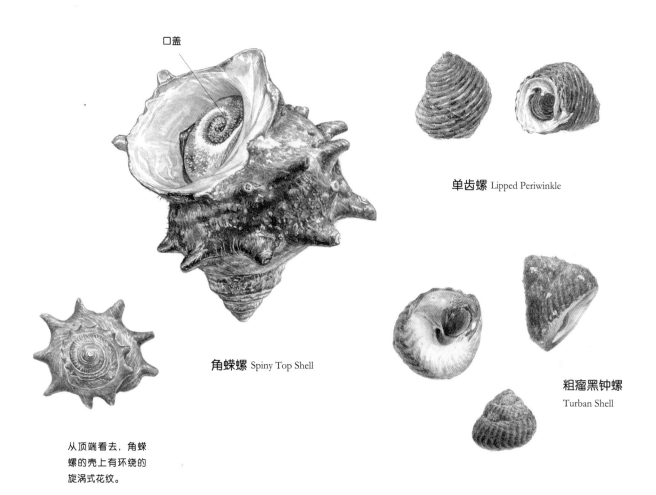

口盖

单齿螺 Lipped Periwinkle

角蝾螺 Spiny Top Shell

从顶端看去，角蝾螺的壳上有环绕的旋涡式花纹。

粗瘤黑钟螺
Turban Shell

粗瘤黑钟螺　附着在海边的岩石上生活。外壳颜色跟附着在其上的岩石很像。有一些也附着在藤壶或海菜上。以啃食海藻为生。退潮后喜欢聚集在岩石缝或水坑中。　▶ 2~3厘米

蝾螺科　　**角蝾螺**　附着在海浪拍打着的岩石上生活。外壳像石头一样坚硬，角一样的突起朝向四面八方，波涛拍打越多的地方突起越长。口盖肥厚而粗糙。夜晚出来啃食海藻，白天则藏在岩石缝里或石子底下。　▶ 7~10厘米

蝾螺科　**朝鲜花冠小月螺**　只有大拇指盖那么大，外壳像球一样圆圆的，表面粗糙不平，口盖坚硬，看上去像嵌在壳口的眼珠。外壳上常有绿色的藻类附着在上面，壳内侧像珍珠一样光滑。
◣ 1.5~2.5厘米

瓶螺科　**福寿螺**　外壳为泥土色，上面有很多细长的条纹。原产于热带地区，因其啃食杂草，所以在水田地里多有养殖。初春时节，在水稻植株上产下粉红色的螺卵。　◣ 4~6厘米

朝鲜花冠小月螺
Coronate Moon Turban

福寿螺 Channeled Applesnail

中国圆田螺
Trapdoor Snail

短滨螺
Korean Common Periwinkle

田螺科　**中国圆田螺**　生活在河流、水田、池塘等淡水水域中。用鳃呼吸，常在夜里一边爬行一边摄食浮游的小虫子和水草等。雄性右边的触角比雌性的大，被用来进行交配。螺卵在雌性体内发育成幼螺后产出，一般一次可产40~100只。　◣ 4厘米

滨螺科　**短滨螺**　附着在海浪拍打着的岩石上生活。体形较小，外壳上有细纹，其中有三条比较显眼，呈突起状，螺旋部像子弹头一样尖细。　◣ 1厘米

肋蜷科　　　**放逸短沟蜷**　生活在淡水中，从山涧到大河中均有分布。在水流较急的山涧中生活的放逸短沟蜷外壳光滑，在河底生活的则外壳较厚且有沟槽。白天藏在石头底下，太阳落山后爬到石头上面啃食硅藻。也叫作"大钉螺蛳"。　🐚 2.5厘米

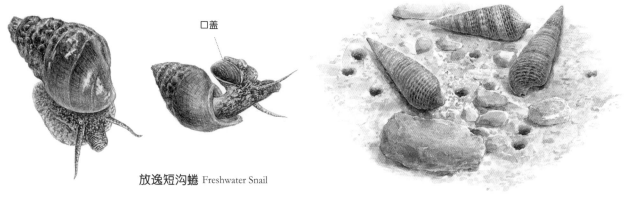

口盖

放逸短沟蜷 Freshwater Snail

多型海蜷 Many-formed Cerith

扁玉螺在夏季产下破瓷碗
状的卵带。晚秋时幼螺就
会孵化出来。

扁玉螺 Real Bladder Moon Snail

蟹守螺科　　　**多型海蜷**　常能在海滩上见到。外形像小小的尖塔，壳比放逸短沟蜷的更厚更坚硬。在泥泞的沙滩上成片分布，就好像有人撒的一样，不计其数。　🐚 3厘米

玉螺科　　　**扁玉螺**　生活在沙子很多的海滩上。外壳光滑，口盖呈半月状。在沙滩上爬行后会留下清晰的痕迹。去壳后可以食用，螺肉肥厚鲜美。　🐚 7厘米

软体动物门　　腹足纲　　骨螺科

疣荔枝螺　附着在海中的岩石上生活。长得像小个儿的脉红螺。会在牡蛎或紫贻贝的外壳上钻孔挖食里面的肉。煮熟以后有辣味，因此也称为"辣螺"，还因为有苦味，又称"苦螺"。　🡒 2.5 厘米

疣荔枝螺成片附着在岩石上。

脉红螺
Veined Rapa Whelk

疣荔枝螺 Rock Snail

琉球球壳蜗牛 Land Snail

脉红螺　生活在浅海的泥沙中。体形很大，外壳厚且坚硬，像石头一样，表面粗糙，里面像珍珠一样光滑，口盖很薄。以捕食比自身个头儿小的贝类为生。　🡒 15~20 厘米

巴蜗牛科　　**琉球球壳蜗牛**　生活在陆地上，通常是在潮湿的草地上。外壳为土黄色，有黑褐色斑纹，头上有两对触角。白天潜伏在黑暗的角落，晚上出来啃食草叶或嫩芽。爬行时，腹足会分泌粘液。春天，在潮湿的土里产下白色的圆形卵。

其他无脊椎动物

Invertebrates

210

多彩海牛科　**黄紫多彩海牛**　生活在浅海中的岩石上。白色的身体上有黄色斑点，边缘有漂亮的淡紫色斑纹，像其他多彩海牛一样，背部有明显的突起，还有一对嗅角。附着在人工鱼礁或岩石上捕食小虫子。　● 4厘米

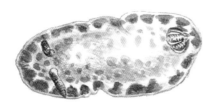

黄紫多彩海牛
Gold-spotted Sea Slug

鳃　　嗅角

东方多彩海牛 Oriental Sea Slug

青高海牛
Blue Sea Slug

东方多彩海牛　白色的身体上有黑色斑点，背部的突起像盛开的花一样。在浅海中的岩石上缓慢爬行，以捕食小虫子为生。　● 3~5厘米

青高海牛　生活在浅海中的岩石上。蓝紫色的身体上有黄色的斑纹，边缘也呈黄色。　● 2.5厘米

软体动物门　　腹足纲　　阿地螺科　**泥螺**　外壳基本退化，只留下大拇指盖大小的部分，不能包住全部身体。螺肉软乎乎的，有光泽，摸起来很润滑。在泥沙较多的海滩上缓慢爬行，吞食泥土。初夏时，产下水气球一样的卵。　🔘 4厘米

　　　　　　　　双壳纲　　魁蛤（gé）科　**泥蚶（hān）**　生活在软泥滩涂上。比毛蚶壳厚且坚硬，壳上的沟槽纹路较深，壳边缘没有毛。　🔘| 5厘米

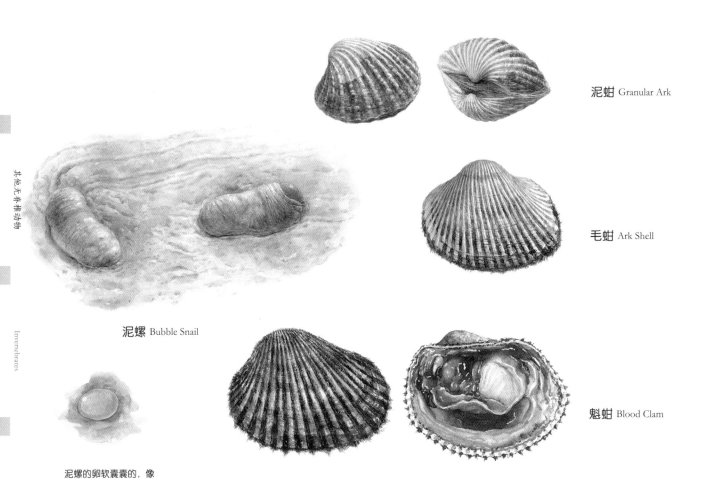

泥蚶 Granular Ark

毛蚶 Ark Shell

泥螺 Bubble Snail

魁蚶 Blood Clam

泥螺的卵软囊囊的，像是要一下子爆开似的。

毛蚶　生活在河流入海口处的泥沙中。外壳有百褶裙一样的沟槽，边缘有毛，比魁蚶的外壳更厚更坚硬。　🔘| 7.5厘米

魁蚶　因其贝肉中有血，所以也叫作"血贝"。长得跟毛蚶很像，但体形更大，大的有成人的拳头那么大。外壳上有密密麻麻的绒毛。　🔘| 12厘米

贻贝科   **厚壳贻贝**   外壳为黑褐色，壳顶常被磨损而呈白色，并且向内卷曲。外壳上多附着有藤壶类。用线一样的足丝牢牢地附着在海里的岩石上，仿佛扎根其上。   ●| 14~18厘米

壳顶

足丝

厚壳贻贝 Far Eastern Mussel

紫贻贝 Blue Mussel

紫贻贝   外形跟厚壳贻贝相似，体形稍小一些，外壳薄而光滑，有珍珠光泽。原产地为欧洲沿海，附着在船底传到世界各地。   ●| 9厘米

栉（zhì）孔扇贝　外壳为橘红色，壳内侧像珍珠一样白而光滑。通常用足丝附着在海里的岩石上，能够断掉足丝在水里游动。像拍掌一样将两片贝壳关闭，喷水的同时纵身前蹿，一次甚至能前行两米。　●| 7.5厘米

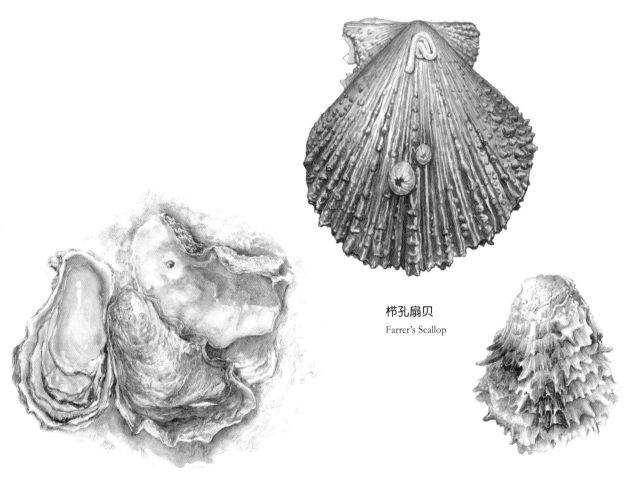

栉孔扇贝
Farrer's Scallop

长牡蛎 Giant Pacific Oyster

棘刺牡蛎 Kegaki Oyster

牡蛎科

长牡蛎　用一侧的贝壳附着在海里的岩石上生活。形状各种各样，壳面凹凸不平，壳内侧像珍珠一样白而光滑。海水流过时，会将贝壳张开，摄取水中的食物。　●| 7~10厘米

棘刺牡蛎　密密麻麻地附着在海里的岩石上生活。体形比长牡蛎小，外壳像长满了刺一样，壳的形状多样。　●| 3厘米

其他无脊椎动物

Invertebrates

马珂蛤科　**中国蛤蜊（lì）**　生活在浅海的泥沙中。外壳光亮，呈黄色。以摄食硅藻类为生。也叫作"黄蚬子"。　●| 9厘米

白蛤 Surf Clam

中国蛤蜊 Sunray Surf Clam

海水流过时，贝类将入水管伸出，滤食水中的食物。

文蛤 Common Orient Clam

白蛤　外壳为白色或灰色，边缘为黄褐色。通常半张半合地在沙滩上成片分布。　●| 5厘米

帘蛤科　**文蛤**　外壳厚而发亮，通常为黄色，壳内侧为瓷白色。生活在河流入海口处的泥沙里，涨潮时，文蛤的入水管会从泥沙里伸出，滤食海水中的食物。　●| 9厘米

青蛤　生活在河流入海口处的泥沙里。外壳为青黑色或黄褐色，溜光发亮，壳边缘呈圆弧形，壳顶稍向一边弯曲。

🦪｜5 厘米

青蛤 Cyclina Clam

菲律宾帘蛤的外壳颜色和斑纹非常多样。

菲律宾帘蛤 Manila Clam

菲律宾帘蛤　外壳颜色多样，密布辐射状条纹，通常还有形状各异的深色斑块。也叫作"杂色蛤"。　🦪｜4 厘米

毛蛏(chēng)科　**缢蛏**　外壳呈扁四方形，为黄褐色，但因常受到磨损而呈白色。在河流入海口处生活，喜欢将身体埋在泥沙中，沙面上露出成对的呼吸孔。　⬤ 8厘米

缢蛏 Chinese Razor Clam

竹蛏 Jecknife Clam

大竹蛏 Grand Razor Shell

竹蛏科　**竹蛏**　生活在沙多而密实的海滩上。外壳细长，呈黄色，很薄且易碎。和缢蛏一样，喜欢将身体大部分埋在泥沙中，渔民会根据露在沙面上的呼吸孔来判断竹蛏的藏身位置。　⬤ 10~15厘米

大竹蛏　体形比缢蛏和竹蛏大很多，外壳看上去就像一截竹子被劈开了似的。　⬤ 15厘米

太平洋褶柔鱼　身体为长条形，表皮光滑透明，头部有 5 对腕足。喜欢在夜间游来游去捕食小鱼或小虾。游动时，随着腕足的摆动，身体向后推进。察觉险情后会喷出乌黑的墨汁。也叫作"鱿鱼"。　🦑 30 厘米

太平洋褶柔鱼一旦觉察到险情就会喷出墨汁趁机逃跑。

太平洋褶柔鱼 Japanese Flying Squid

真蛸 Common Octopus

真蛸在春秋季节产下 10 万~15 万枚蛸卵。雌性产卵后就不再出去捕食，守护在卵的周围等待幼蛸孵化，直至死去。

真蛸（shāo）　有 4 对腕足，每只腕足上有 70~80 个吸盘。白天潜伏在海里的岩石缝中，夜间摇曳着身体一边游泳一边觅食。牙齿锋利，能将海螺的外壳咬碎，觉察到险情后会改变身体的颜色，和周遭环境融为一体，或者喷出墨汁趁机逃走。

🦑 60~130 厘米

长蛸 像真蛸一样有 4 对腕足，体形比真蛸小而纤细。白天潜伏在浅海的泥沙里，晚上出来捕食螃蟹或贝类。腕足很有力，一旦抓住猎物便不轻易放走。遇到危险会喷墨或变色。

🦑 30~70 厘米

长蛸 Long Arm Octopus

太平洋褶柔鱼：
有 5 对腕足。喜欢在海水中游来游去。

长蛸：
有 4 对腕足。生活在浅海的泥沙里。

短蛸：
体形比长蛸小，腕足较短。生活在浅海的泥沙里。

真蛸：
体形较大，有 4 对腕足。生活在海中的岩石缝中。

环节动物门　　多毛纲　　沙蚕科　　**琥珀刺沙蚕**　在沙滩上钻洞生活。全身泥巴色，身体很长，分成很多节，每一节上都有一对足，足上有刚硬的毛。退潮后，会将一小部分身体伸出洞外啃食泥巴。行动敏捷，一有人接近，便闪电般地钻回洞中。　● 56厘米

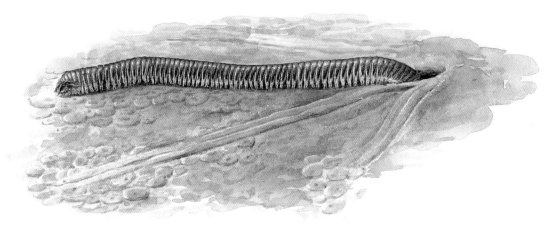

琥珀刺沙蚕 Amberthorn nereid

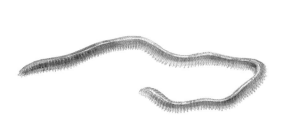

双齿围沙蚕 Sand Worm

正蚓 Earthworm

双齿围沙蚕　和琥珀刺沙蚕一样，身体分节，有很多足。在浅海的泥沙里钻洞生活，还能够游泳，用口器上的两只钩捕食小鱼或小虾。　● 14~20厘米

寡毛纲　　正蚓科　　**正蚓**　生活在泥土中，是很常见的蚯蚓。身体较长，由100多个体节构成，有腰带似的白色环带的一端是头部。没有足，也没有耳朵和眼睛。用潮湿的体表呼吸、感觉声音和光线。终日吃泥巴，排出的粪便是很好的肥料。下雨后，它们会从泥土里爬出来。　● 12~30厘米

颤蚓科

颤蚓 身体细如丝线，在下水道或脏水坑中的泥沙里成群生活。池塘、小溪等水域里的水开始腐臭时就会自然生出这种蚯蚓。将头插入水底的泥里啃食泥土，泥土经过消化道时，里面的营养成分会被吸收，渣滓则经肛门排出。 ● 5~10厘米

颤蚓是鱼类喜爱的饵料。

水蛭 Leech

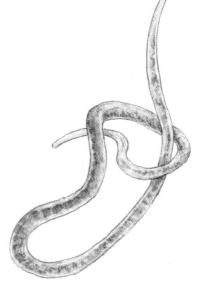

颤蚓 Sludge Worm

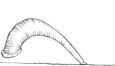

水蛭的运动方式   后面的吸盘吸牢后，身体一下子向前拉得很长。   前面的吸盘吸牢。   后面的吸盘松开。   全身收缩。

蛭纲   **水蛭科**

水蛭 生活在水田里。通体长而扁平，颜色为绿中带黑。贴附在动物的皮肤上吸食血液，吸饱后，身体可胀至原来的5倍，而且之后可以几个月不用吸血。人们到田间插秧时，水蛭就会悠哉悠哉地游过来，准备吸人的血。 ● 3~4厘米

砂海星　生活在浅海的海底。有5个可以弯曲的腕，腕上有密密的管足，比多棘海盘车的细，从身体中央到每个腕的末梢都有一条深灰色的斑纹。退潮时，会把身体浅埋在沙滩里。腕断掉后可再生。　★ 8~14厘米

砂海星的腕腹侧。
上面有无数的管足。

砂海星 Spiny Sand Seastar

海燕 Starfish

海燕科　　**海燕**　生活在浅海的海底。身体为星形，通常有5个腕，背面为深蓝色，有红色斑块，腹面为黄色。海燕的腕通常比其他海星的短，因此行动较迟缓。　★ 5~7厘米

海星科　　　**多棘海盘车**　身体背面通常为紫色，有浅黄色斑点，还长有密密麻麻的刺。捕食时用腕将贝类动物包裹住，等其外壳张开后吸食里面的肉。　★ 20~30 厘米

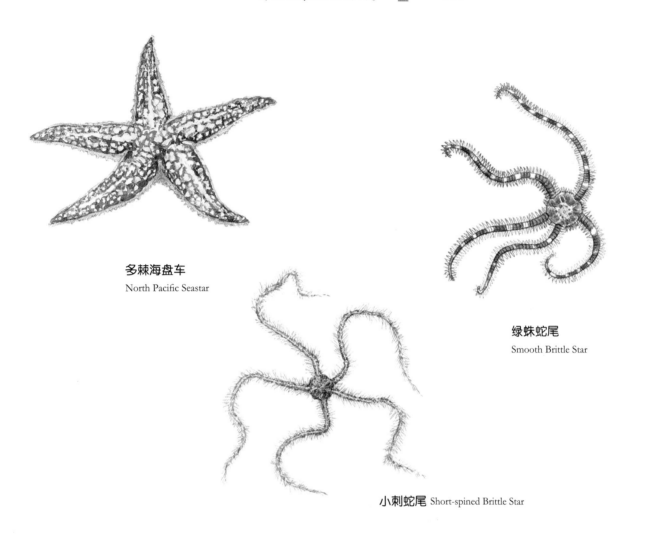

多棘海盘车
North Pacific Seastar

绿蛛蛇尾
Smooth Brittle Star

小刺蛇尾 Short-spined Brittle Star

蛇尾纲　　　皮蛇尾科　　　**绿蛛蛇尾**　身体背面为褐色或绿色，有带状斑纹。通常群居在海中的岩石缝里或石头底下。白天潜伏，晚上到处觅食。★ 10 厘米

刺蛇尾科　　　**小刺蛇尾**　腕很细长，上面密布的刺跟蚂蚁腿似的。比其他海星动作更快。会用腕上密密麻麻的刺缠住浮游生物来获取食物。★ 20 厘米

棘皮动物门　　海胆纲　　　　长海胆科　　**紫海胆**　生活在海中的岩石缝里或石块底下。身体呈球形，为紫黑色，刺较粗而润滑，但很锋利坚硬，被其刺到后会非常疼。白天潜伏，晚上出来啃食海藻。　● 2.5~6厘米

紫海胆的内部构造。
里面满是黄色的卵。

紫海胆
Purple Sea Urchin

细雕刻肋海胆收缩起来的样子。
中间露出嘴巴。

细雕刻肋海胆
Striped Spine Sea Urchin

刻肋海胆科　　**细雕刻肋海胆**　长得很像毛栗子，浑身亮栗色，长满针一样的刺，刺的间隙里伸出管足，管足末端像吸盘一样，所以它们能很好地附着在岩石上。身体收缩后，可以用管足支撑着立起来。白天藏在海里的岩石缝中，夜间出来啃食海藻。

● 4厘米

海参纲　　　　刺参科　　　**刺参**　身体为深绿色或褐色，有深色斑纹，并长满大小不一的锥子形突起，腹面平坦，有密密的管足，能够爬行。吞食泥沙，吸收里面有机碎屑的营养，然后又将泥沙排出体外。身体断掉后可以再生。盛夏时钻进深海里进行夏眠。

◗ 15厘米

管足

刺参 Japanese Sea Cucumber

刺参等海参受到其他动物攻击后，会将黏糊糊的内脏排出体外趁机逃脱。经过一个月左右，又会长出新的内脏。

英文名称索引

231

附录

世界环境保护组织

FOEI (Friends of the Earth International)
地球之友
www.foei.org

Greenpeace
绿色和平组织
www.greenpeace.org

IUCN (International Union for Conservation of
Nature and Natural Resources)
世界自然保护联盟
www.iucn.org

Ramsar (The Ramsar Convention on Wetlands)
拉姆撒尔协约
www.ramsar.org

WWF (World Wide Fund for Nature)
世界自然基金会
www.wwf.org

中国的环境组织和野生动物保护组织

自然之友 www.fon.org.cn/
中国观鸟会"中国观鸟论坛"http://bbs.cbw.org.cn/forum.php
中国昆虫爱好者论坛 http://Insect-fans.com/bbs
蓝色动物学（中国动物学科普网）www.Blueanimalbio.com
中国自然标本馆 www.cfh.ac.cn
北京猛禽救助中心 www.brrc.net.cn

发布濒危动植物目录的机构和公约

IUCN (International Union for Conservation of Nature and
Natural Resources)
世界自然保护联盟
为保护世界资源和自然而设立的国际机构。每 2~5 年发表"濒
危动植物报告"（又称 Red List 红皮书）。www.iucn.org

CITES (Convention on International Trade in Endangered
Species of Wild Fauna and Flora)
濒危野生动植物种国际贸易公约
该公约分为 1,2,3 三个附件 www.cites.org